COLLECTION
L'IMAGINAIRE

Philippe Sollers

Lois

法

Gallimard

Philippe Sollers est né à Bordeaux. Il fonde la revue et la collection *Tel quel* en 1960; puis, en 1983, la revue et la collection *L'Infini*. Il a notamment publié les romans et les essais suivants : *Paradis, Femmes, Portrait du Joueur, Le Cœur absolu, La Fête à Venise, Le Secret, La Guerre du Goût, Le Cavalier du Louvre, Casanova l'admirable, Passion fixe, La Divine Comédie*.

nié face à face, niant la membrane, l'entrée : ce qui s'y
trouve existe ailleurs, ce qui n'y est pas n'est nulle
part : NÉ-
cubé maintenant trouant et lançant les six côtés du
pavé scellé oublié : criblage et seulement vidage des
éléments roulés dans la chute autrefois bloquée. Les
voix : quelque chose de plus profond monte/le point
d'accumulation a été touché-
tous les cercles tenus du dedans, c'est-à-dire les sphères
carrées dans l'éboulement, c'est-à-dire le contraire dans
le dénouement, c'est-à-dire l'ensemble passant dans son
mouvement, se pliant dans sa nappe et se calculant :
l'adhérence de a est la réunion de son intérieur et de sa
frontière, pénètre en lisière sous la gorge happant-
lui couvert d'écailles et de bave captant la raison qui
l'a fait barrer enchaîner ; lui le reste une fois de plus
convoqué armé... Lui nommé ainsi par nécessité leur
rendant ainsi leur force mort-née... Pas plus enveloppé dans un œuf que rien de ce qui est fait, pas plus
unifié ou formé que rien où l'on puisse entrer... Lui
charbonneux aveugle hors du flanc rivé à son plan
d'acier, mat, forcé de respirer pour les faire parler,
moteur des cellules sans fin déplacées, condamné à

drainer leurs reflets payés, leurs vomissements cachés et rythmés-

(ici, après contradiction en nature, singerie par dégagement de la main trimée, écrémage du cerveau centré, éducation de la verge élevaginée permettant d'affirmer la communauté)-

lui donc détaché libre mais encore ramassé crispé... Si un se divise en deux sur le profond creux qui restera deux, l'outil sera nommé quant à lui l'inverse de la poussée le long de son axe, comme si l'enfant se hissait en lui sur de faux poignets, poignets et chevilles étant historiquement à la base de l'influx nerveux lui-même errant non-fini poreux... Ainsi chaque fois que la projection aura lieu -coup de gong, tressage en fer de la queue qui règle - entaille fendglant retour de l'efface-ment-, l'enfant sera dit chié de son fond malaxe, c'est-à-dire sorti du tissu maman où l'espace attend comme un drap devant mais aussi sépare canaux veines temps-

全簡玉字經

soit: les femmes se branlent fondamentalement à partir des morts, leur salive est donc plus acide, les aisselles, l'aine, concentrent tout leur savoir. Soit: la femme désire l'homme comme le pédé l'autre pédé refoulé; l'homme désire la femme comme l'autre qu'il a oublié ou tué; l'homme désire l'homme comme la femme qu'il ne sera jamais; la femme désire la femme comme son négatif maternel et membré qui lui permet en somme de s'imager. Soit: la prohibition ou plutôt la recommandation subtilisée de l'inceste, à savoir les rapports cochons et cachés mère-fils-père-fille ou plutôt mère-fille-père-fils, racontent la signature du contrat fondu dérivé, l'autre parent n'étant apparemment posé comme désiré qu'afin de produire le masque de son répété... On obtient alors ce qui s'organise et se reproduit de l'autre côté, ce qu'ils n'ont cessé d'excréter et de renfermer, étant entendu que le commencement vient toujours après : après, c'est-à-dire une fois tranché de l'emmêlement des cons et des cus occupés à se comparer, les mères ayant des fils comme filles des mères de leurs pères, les pères flottant nez ouvert à travers leurs mères vers les fils qu'ils auront été pour les pères qui les ont baisés... Posons le premier son qu'inscrit la matière : non, en retrait de son col coupé. Dialectiquement : quelle est la combinaison exclue ? Celle qui vous connaît. Lui, rampant incisé d'abord tête en avant pour leur faire cracher l'arrivée au-delà des premiers ossements, des crânes, entassements des armes taillées des colliers, lui sortant peu à peu pierre bronze glissant cueillette chasse pêche plus loin bruits mamânes groupés et dressés... Porteur du machin qu'il devra sans fin ramener, chargé rappeler saveur du magin bouffé, du vieux boudineur saigné et rongé. Poumons vides vent percée gaz enflammé de l'avant-soufflé-

brûlons maintenant papyrus vieux névrosé traçant choc de la pulsion-clé : chantons, dit-il, en signés flambés, celles qui font chanter en haut des montagnes, autour de la source sombre, près de la durée coïtée, là où elles dansent, là où on voit leurs pieds... Elles mouillent, forment leurs chœurs, s'agitent, courent, volent, s'éloignent dans la brume : leur concert élargit la nuit, célébrant celui qui tient, celle aux souliers d'or, la fille aux yeux forts, celui qui ébranle le sol, ceux à la pensée fausse, et la lune la terre la mer, ceux qui ne sont pas touchés par la mort-elles parlent : nous pouvons mentir, nous pouvons dire la vérité-

elles m'offrent un rameau branché, elles font gicler
les accents futurs et passés, elles exigent de me diriger-
leurs voix à l'unisson dans ce qui est ce qui sera ce qui
fut, leurs lèvres lumineuses vierges font grouiller les
pics et la neige, et elles commencent en moi par l'ac-
couplement terre et ciel car tel est mon sort-
il paraît que le père a foutu la mémoire pendant neuf
nuits, prudent, monté sur son lit sacré, et au bout de
neuf mois la dite mémoire laisse passer neuf filles dont
la gorge est musique dans la mousse gelée du sommet-
elles chantent, et la terre noire résonne, et elles vont
vers la queue de leur père qui se branle depuis qu'il a
triomphé du temps qui était son père et réparti la vie
en catimini selon son économie-
ceux qu'on a nommés rois ont été destinés à boire sans
arrêt cette queue paternelle jusqu'à ce qu'on ait compris la plaisanterie, et si le langage leur était donné par
surcroît, elles en étaient la cause cachée, trois par trois :
l'arc, les paroles, les lois-
les survivants, cependant, nourris par la mer, doivent
nous apprendre dans leurs grognements comment sont
sortis le sol, les fleuves et les eaux gonflées, les étoiles,
la largeur du ciel, puis les pines privilégiées dans le partage des premiers profits sur la montagne, comme dit le
vieux aux mille replis-
avant tout, dit-il maintenant, lui dont le cadavre hésitant sentant l'iode a été porté par les dauphins dans un
cortège marin, avant tout il y eut l'abîme, ou encore
le vide, ou encore le chaos, ou encore la profondeur
béante puisque l'espace qui sépare le ciel et la terre
peut être prolongé indéfiniment, n'étant limité ni en
haut ni en bas par le ciel et la terre, donc l'abîme, mais
n'oubliez pas cette fissure pour toujours déchirante et
non mesurée, puis au-dessus de ce cagin sombre, la
planète et ses flancs, assise, écartée, ouverte à tous les

vivants et, immédiatement, la tige intouchable pour ceux qui meurent, cassant les membres et ramenant dans les poitrines la peur, le sang volontaire du cœur de l'abîme, entendu ici comme je l'écris, vient le fleuve de nuit et sa vase en gris, et de la nuit, à son tour, l'air qui permet le jour : la terre accouche dans un premier temps ou dans une première logique, d'un corps égal à elle-même, capable de la couvrir et de la baiser de tous les côtés, le vieux l'appelle encore ciel ou fond étoilé, et c'est en fait le socle ou le cu des dieux, c'est-à-dire la multiplication future des queues... La terre est censée alors configurer le plasma qui sera ultérieurement morcelé en rêve : collines, grottes, vallonnements où des fragments femelles viendront redoubler leurs chants, c'est elle encore qui s'excite au point de produire la mer que le vieux prend soin de dire non féconde, cela sans être baisée comme si elle se masturbait- ne pas confondre avec l'océan qui sort du coït dont les sécrétions et les excréments se divisent en géants sanglants dont les tourbillons font sortir, après la mémoire et la couronne de merde devenue or inconscient, l'enfant meurtrier parricide : le temps-l'accouchement se poursuit par ceux qui n'ont qu'un œil au milieu du front, érigés dans la vue-plafond, et le ciel continuant à la sexer sans relâche, la sphère fait encore jaillir d'elle des embryons, et il en naît à cinquante têtes, mais par où sortent-ils, là est la question puisque nous sommes toujours semble-t-il à l'intérieur du con très profond : le mâle en effet hait cet engendrement, il commence à comprendre le prix de son foutre-oubli et ce que ça coûte d'éjaculer dans ce qui a joui-
il veut donc cacher les fœtus, les refouler dans le ventre de la pute molle, il la bouche de son sexe épais et elle se met à gueuler comme si elle était enculée-

jusque-là, pour nous, rien n'aurait existé-
elle recourt par conséquent à la ruse : vite, elle tasse
les métaux, l'acier, elle s'arrange pour en faire en elle
une courbe acide aiguisée, puis elle crie à ses fils :
allez-y, coupez-moi ce mec visqueux et libidineux, je
veux jouir un peu avec vous, mes chéris, il colle-
les fils du dedans débanderaient plutôt maintenant,
sauf celui qui sera de nouveau le temps et aura beaucoup à vomir ensuite du côté enfant : la sphère glaireuse
excitée l'avale, se fait un moment flairer et branler, lui
apprend à se servir du rasoir sans trembler... Au
moment où pépère céleste se rapproche avec la nuit
déguisée, se répand sur elle et la chauffe de son haleine
salée, le fiston, si je comprends bien, depuis le ragin, lui
sélectionne sec la queue et les couilles, et les jette, dit le
vieux, au hasard, au loin, tandis que maman, couverte
de sang, jouipisse comme une jument-
elle en profite, d'ailleurs, pour se faire engrosser à
nouveau par ce sperme sanglant, le vieux appelle ça
les prostituées des frênes, c'est d'elle que descendrait
notre espèce, votre serviteur et sa gueule à blanc, alors
que d'autres semblent préférer les pierres, les glands...
L'important est d'ailleurs ce qui arrive aux couilles
tranchées et flottantes sur l'océan, se perdant au large,
pendant que le foutre en neige s'écoule du morceau coupé et toujours bandé... Une femelle, dit-il, y
prend forme, va vers les îles, touche terre, fait pousser
l'herbe sous ses pieds mouillés : depuis elle a pour
fonction d'envibrer à chaque instant les organes, elle
va parmi eux jamais dite invisible sans cesse frôlée
comme une fente gommée et on l'appelle désormais
couramment tractée des bourses, bavée d'écume au
front éclairé-

premiers temps de l'ovule à temps, intérieur du plomb non conscient : bloc parent se noircit dedans. Il était scindé, il s'en va néant. Si je sais nager, si je me comprends, on doit donc donner en se ramassant sa langue aux femelles se laisser couler dans leur fluidité. Elles laissent s'enflammer le bouton ouvrant le trajet, mais sans regarder, toujours dans l'obscurité. Insiste suce avale ce qui est tout près ventre serré nez pincé : menstrues tomates de pépé sacré devenu mémécuré généralisé trou caché par bite mal recollée. Religion fondée ! Si tu tiens le coup malgré l'odeur et l'aigreur, si tu sais répéter leur façon soignée d'être sans cesse à côté, elles te rendent morceau de tout le mélo. Comment elles ont surpris le con et la conne s'essoufflant près de leur berceau, les voyant de dos s'enculer à chaud dans miroir écho. Elles disent sourdement leur crise, disent redisent sans se lasser la mouillure qui se mêle à elle sans se contrôler. Ayant vu très près prise cause fonction rétroviseur, appel cus soulevés largeur profondeur et du coup premières naissances pensables comme anales et analisées contraction anneaux annales de l'anus bouclé trois bouches au lieu de deux cellules de la trinité. Tant que subsiste cette loi tramée pas de compte-membres extériorisés. Tant qu'est célébré rite pépère-mémère dans sa langue morte et pourrie-rêvée, impossible mettre le partout d'accents, impossible perte au-delà des dents permettant pour elle une queue dedans hygiéné bébé de la double entrée apprenant chargé pour se regonfler… C'est pourquoi les vieux se l'ont vu sortir de la queue brisée. Mais quant à savoir qui est dedans et qui est dehors après ce foutoir, pas facile à repercevoir-

et donc histoire du type aux chevilles enflées né à contre-temps récité, condamné chassé et récupéré, meurtrier hasard et nécessité, réponse en chemin par l'oralisé, puis baisant sa reine de mère qui s'y attendait, puis jeté crevé dans son aveuglé appuyé fifille aux creux des forêts... Laïus à usage classes cultivées suivant déjà poncifs du rassure. À noter en effet que papa est connu pour avoir été un fameux pédé, tantouze officielle de son époque pestiférée, et sur la rencontre oraculisée, motus! papyrus discrets! Vraisemblable papa-roi a voulu se taper son fils tout doré qui marchait vers lui dans le soir couché, bagarre et le reste, n'importe, shlark, à la cure! Sans insister le public riché accepte tragédie et son prix, digérant songeant leur petit péché, racontant milliers d'allusions tremblées, mais papa en cu est plus refoulé... Aucun mâle sous les apparences n'a encore touché la moindre femelle, voilà ma première thèse en dépit d'intox et publicité et demandez-leur à elles si je dis vrai, c'est-à-dire en somme si vous le pouvez-

si vous le pouvez car rien ne prouve que vous pourrez pas plus qu'elles approcher de leur torsion décalée. Sachez qu'elles sont obligées d'opérer en bord mère avec souvenir de pépé châtré, se donnant ainsi un double mari amant mire au crible de papa chéri, tandis qu'pénis fixe et socialisé doit juter cu mort en décor crédit. L'amant à la con s'avance vers elles, leurs salives coulent, il se fait piper. En réalité, elles vont chercher plus loin leurs effets, elles n'oublient jamais l'antiqueue réglée, grattant fin raclées les couilles en récure, reniflant la dure et mordant jujus depuis fond tissus dans le sens voulu soldat inconnu par le trou qui tue. Hantées par sac médusant d'attente enfiévrées noircies liquides battantes quand elles saignent accablées languies leur calcul croule s'anéantit leur venin ancien revient dans leurs veines de nouveau drap bouche et coton sali-

nappe transpire papier brûlé milieu sous dessin pein-
turé parlé. Il durcit, revoit les étoiles, sa gravitation le
remet sur pied... L'enfant glappe route inondée, pré-
vient en frappant talon ventre. Passant disque cylindre
gâteau puis galette entubée ballée. Puis noyade fond
bleu grimaçant toxique oxydant gueulé. Et d'un coup
mer microbes aérée criée. En tant que rapport à soi
il se définit comme étant cette identité même qu'il
exclut. Se jouant sa mort, en faisant sa nourrice, sa
mère. Soit lui ce commencement. Soit lui ce déplace-
ment par lequel tout se lève et reprend son rang, large
masse des blés couvrant tout à coup la plaine, crâne
écho sonnant dans écran vivant. Squelette animé du
tendu saignant. Sur vide ! Naviguant tuyaux dents
giclées cuisses trouducs bouches poissons urinant
avortant merdant. Autour point surjouissant quand
four crémant laisse passer m'écart en souplesse. Dans
bain graisse. Admis ici que ça doit rentrer côté sous-
traction trou caché trou masquant trou en retour d'entrée. Là où c'était repassez en force attrapez à mort le
relief biaisé débordant surface pour s'atomiser. Trans-
mis dit radium émergeant musée fourmillant moulé en
forêts tassées, embryon rythmeur tiré des machines.
Sabazios ! Du bassin salé. Coulant ouest ou est en chimie roulée. Sa langue trait drogué dans le respiré.
Fibres plaies tendons de l'os enterré coagule à nerfs
jaunis si ça souffre. Cervelet cortex tamisé cerné. Pulsion frappe incidence atomes image faisceau rasant
d'obscur électrons contre-jour levant. Bondit loin
chauffant. Allons allons qu'au vent des sanglots vos
bras battent autour de vos fronts la cadence de nage
qui de tout temps a su faire passer le lourd bateau
aux voiles sombres avec ses clients jusqu'au rivage
ignoré sans soleil hospitalier noir avant d'avaler sa
lumière. J'ai ensemencé le sillon où j'ai été formé,

coup nul, souche sanglante ! Et maintenant : marée renversée-

Saufté !

l'histoire s'y remonte dans son effacé : ça revient- tourbille à la nappe enflée quand y avait personne pour se répéter... Le fouillé trifouille en milliards d'années pour donner accès aux couches serrées... Plonge à fond dedans sous l'écho des graines, gratte à fond d'envers couvrant les vallées sorti des cheveux, des feuilles pressées... Propulsé pulsif depuis les mimines ! Dévié des accouches emmêlimétaux ! Échomance ! Bébête fonçant sous feuillage ! Humouisseux baveux brûlant tous les feux ! Le bouchon s'impose, emplit la cuvette, c'est mordu pépère contrôlant bidet, reposant morpions sur le sol brumé et surnumémère écrasant ses lèvres sur la pisse en boue qui les a soudés... Elle travaille trac en craquant mémoelle, il délire en vrac en suçant sa poêle... Voilà tous précrânes enfilés-perchés et les gros nounours tout griffus-rongés, ô leur long sommeil à côté des tentes, ô leurs sièclattentes en dépit déchets... Revoilà les dents, les cornes foyers et calotte acide près des bâtonnets, les coquillorants, les chevaux-sagaies souffle avide engorgengouffré poumonnant la roche imbibant sa croche en pur sang muré... Hourshoum ! Grignash ! Gilgame ! Tropets ! Zig-zaguant vapeur des cerfs à la nage, vacherie renflée des rameaux brisés. Les berceaux s'étagent à côté des grottes, embryon mâchouille son avant-durée. Soit : dodo miocho, petit tronc d'homo, pioche bien ton sac dans ton ventre à crève, ta cloison-ressac au refil marées. Ton déclic souplé emmasqué de rêve, le civilisé le refait grimper, il le liquéfie dans ses pompes à èves, dans ses réservoirs entubés-papiers. Avance en éveil chassé des langouzes hors du paradouze submergé de pluie, remets ta piquouze en séries-bibis poitrine roulant dans l'oubli flotté là où ça ruisselle en futur spiré nom gravure plis dans l'imp'rononcé. Si la tige sort du pied arraché, le cadavre est mûr pour son pont couché : ici germe en spire le tuyau fibre, il se colle au con et s'y affectionne incourbant rejet rubanné cordé... Boule, enfant rivière et file mon eau, calcinise-toi et volette oiseau, bois ma main poussière et ma joue lavée, fais gaffe au milieu du procès mangé : l'acteur parle ici pour mieux s'étouffer-lacte-toi le cœur si tu veux passer-

ça monte, ça plonte en magin réglé : les premiers s'achèvent dans les trous creusés, on enduit les filles avec foutre frais pour qu'elles rentrent paf dans les enterrés. Sperme, sperme que d'égorésille, retiens-le remonte en bulbeux reflet... Donc : d'abord branlette et puis bout coupé, et puis truc solide et substitué, et puis queue sciée dans l'enveloppé. Recette ! Arrosoir en pomme ! Le filet de sang déplaît aux femelles en versant miel plaies sur leur dos nié... Et rouvre l'entaille dans ta conne faille... Double à queue doublée en ultra-mémé... Elles, cependant, leurs fistons coupés s'as-soient boum sur eux et les tringlent vite salive durcie dans l'axe opéré et jouissant serrant leurs genoux spasmés. Débuts rageurs cavernés caveurs. Chimie-tic ! Anthropo ! Dinobronches ! Iguanonde ! Ptérodoctes ! Azor ! Popo ! Pipi ! Tec ! Tec ! Paleo ! Neo ! Et au lit ! Tic-toc !

Zig ! Redressé le vide est un rien happé dans la frôle explose du zizi cervé. Minéral inscrit, c'est son rôle ici. Et séquences plaques éprouvettes d'air dans le tour cylindre empilé durci. Si pépère crève par oreille en sang l'éjacule abîme le coton froidi infectant peau grasse et son tissu gris... Faisande! Qui parle? L'expert. Choqué nerf à cri: l'inversion sur soi implique la chute, le tapis du rond sous le coup qui jute, infantile accent le laissant à blanc. Flot-cellule et languette à mère rail détend intervalle plan... L'animal debout, voilà ma surbaise, ça me boucle en temps dans le combinant, je compte ses gouttes, sa gelée, ses fraises, je suis tout lamelle mes petits zenfants... Terre, terrencore, terrenfinencore, ô colomb à moi le surnom-colon, à moi l'interton du fondant-croissant, je reprends la vue du poisson-début dans mon œil à cru d'adipeux cornu. Mon calcul fœtus au fond me chagrine, j'y arrive pas à cerner ma pine, ça ne va pas fort dans mon institut... Petit chat d'expire, qu'est-ce qu'on aura cru? Donn' ta langue! Et que veut femelle? Queue de plus ou plutôt son pitre en super sous-fifre! Son chiffre! Voyons donc planète en recoin système et fonction mémême en trucs d'animaux: homo fond noirci cloaquant chrono. Ouvrant l'œil sur leur conte bête, le renvers zinzin échappant des mains, la femelle en mec et le mec au bain enfemmé d'entrée dans l'aérotrain... Bijoux nattes fibres tièdes développe! Et fleurant l'asie! Mais où passe l'autre et son rire éteint? Où est sa façon d'affamer les cons, de les faire trembler en soupape-action? Manie glissée dans l'incube. Le toutou-langage surcoupe le sexe en détour-atout et relai-multant. Motus, ici-bas, sur la cause à moule! Résume la foule: hasard courant d'abord plantes pluies empoisonnements puis fermente en cycles par entassements... Impossible à vivre dans le croulement abrégé retrait te cassant les dents. Ou alors, vas-y, déconne et marmonne, crève-toi les yeux, lève-toi en eux, dresse-toi en mieux sur leur nom coulant, eh! vas-y de merde en sub et lamine et fous-leur ta lime eh! métapassant-

Zag! Cicatrice double à électriser mais sans la toucher dans la question jet... J'y suis! Ça m'y pense! Nombril enclavé dans le vitrifié! Chéraphins diablés ça revient couplé, ça insiste sec pour se faire nommer... Le verbe est à frire au commencement, mais encore faut-il qu'il y ait un verbe, car les queues voulant le perpétuant des sous-queues gonflant sous le verbe-écran, l'insondé repart en escargot-bride, en couloir flottant de mélo-mêlant. Mieux vaut s'y risquer par piqués directs par la crabe-creuse? Oui. Rides sphère plus lente aplatie milieu bouge à droite se rivant à gauche et de gauche à droite revenant suspens. Soit: l'acteur dispose d'un nœud élastique pour autre diction. Autruche allergique en condensation et pondant son œuf ensablé bidon. Che vuoi? lui dit-il dans l'entre-deux cages. Che buoi? mugit-il dans sa pile à son... Bœufâne! L'adoptif à virge! Le petit jézutt de nos sodomons? Et poussons. Thoraciques bras mécaniques dans l'écart-poumons. Reprise tête à côté de kyste champignon doublure carburant ronron... Inconscient vicieux et ronflant-râpeux, un conscient vaut mieux que deux tubendeux. Et pressant de dos sa nervure oiseuse, ô sa pesanteur assoiffant rieuse quand il vanitasse en vanitateux! C'est alors qu'il faut se spectrer tout le vocabulle! Voyelles pointées cercles consonnes parfumées voile rideau dans la roue légère et cellules! Se magnant la bite pour gagner l'orbite! Cétalor! Cétalor! Assez. Liquido battu barattu soufflu, il tourne et décroche dans le buriné, glisse à demi dingue dans son foutre épais, mercure engorgé par sa viande à lait. Je suis donc: artère suc-cion pulsée et charbon miné en flammère arquée. Enla-cement de l'un l'autre bleu vert ou nerf néant menace traçant. Il est dit d'la chose qu'elle vient des ténèbres, visez-moi sa forme en reproduction, sa fourrée d'écume aspirée pression... Chanson. Du dragon. Vitreux vulveux syllabes avalées dans les trous striés, fontaines, geysers, aiguilles salées... Hi-ho, mots-mots de trop long lézard, tortue gaga sous les siècles! Les éclats-micas sous ma langue en râpe, l'excrément filtré pour ma nutriscape. Ho-hi, tête plate et pépère-mémère sous ma volonté. Chut! Comme elle s'ouvrait bien sous ma carapace, comme elle mouillait bien sous ma queue dorée... Comme il bandait bien sous mon râle âcré, comme son anus était doux chauffé... Déposons les œufs de mon oublié... Remontons la poutre de brahma-mémé... Sortons dans les prés couverts de rosée, volons papillon dans le soir zébré...

profil d'angeailé foulant terre et mer, cabriolairée entorchée-flammée. Pattes mousses! Un autre descend d'arc-en-ciel nuée, c'est le père michel droit sur sa lancée, ça percute sec pour se faire nommer... Ici le retour, ici le surdit: dépend de la place infini-fini, car si c'est fini qui précède ici, il passe infini et s'y évanouit, et si au contraire fini cède et suit, fini se combine avec infini, nouvelle puissance modifiant l'écrit. En tenant le compte que rien n'est rempli, que tout luit, revient et reluit sous plis, on peut décourber le non-point d'unique, principé d'arrêt ou de limité absorbant l'échelle et son ensonné, vise-moi un peu l'entier paradis... L'acteur est pourri dans l'endo-fouillis, omnia finita definita sunt, vaporisation de sa plaque à fonte. Atmosphère brûlant colorée en masse délasse et vertige recouché à plat, viol effet bouddha et monnaie d'archonte. Soit: deux n'étaient qu'un qui se coupe en deux qui s'envibre en trois c'est-à-dire en quatre par son poil nié reniant l'omnia membranant l'entrée... Acteur suspendu dans son aveuglé se mouvant dindon toujours sans réponse : dire si oui ou non il a pu voler ? Il insiste en sol appliquant la loi et marquant plafond si c'est vu en bas, et poussant derrière si ça file endroit, prends ma molécule par la barbichette elle te tient roulette en barbapapa, l'opéré se fend dans l'enfantement, il demande ensuite à baiser maman, à se faire clinquant de réserve à foutre par la queue rasade ensoupé torrent. Le hic ! Question-clé ! Ça pense en cadence réglée d'éprouvette, prends-moi bien le con avec des pincettes et vas-y grinçant en serrant les dents pinçouillant le cu en touchant la crête ! À l'envers, la langue empourvue d'accents dit son signe à filtre en relief parlant, sa chicane à mouche dans la comprenette. Ô le troc tenté sur le bord à blanc, ô l'organe en boîte et sa maladie, boitillant naissance dans le contredit, ô l'enfant chéri tout lovédormi rabotant mémé dans sa rabougrie avec peau méable et endolorie par le glaginsac à reclic de cri ! Madame vérité suit petit circuit, âme défendue par mamâles pâles dont mémé-femelles ont léché la vie. Elles économisent leur gentil pipi, elles y sont forcées par ampleur de graisse, surveillant l'espèce et montant les prix. Mémère trafique son fantasme-orgasme, pépère se banque en reflet-caché, le cu vient alors faire clac dans leurs phrases, c'est la clé du coffre à tenir bouclé... J'entends leur silence dans mon ramifié ! Ô pigeon d'olive et reflux mouillé, et mon flot-nébule, et mon essoufflé ! Je suis, dit-il, où je suis dansé, je suis ce qui est comme ce qu'il est, dans la suie du suis ou le lait du l'est, dans l'ensui bébé près du raviné-

Zog ! Le premier volue en prenant de haut, c'est-à-dire lento en tournant les mots, avec mot donné par le dos sans mots dans l'amorce écho de la source à mots...

Lalalulu et lililulu et lololala et lililolo,... Tradéridéra, traliralira, liralirapas délirascrira? La brise à fiction s'emmassant en rond, l'horizon panneau devient tombe à mots. Le sensé s'emplit sans se prononcer par essence acteur en huilé-veillé. Cerveau nuit fêlé longeant l'épinière, détroussant pépère, et brouillard montant dans le poudroyé, eau sèche agitée et retronçonnée... C'est la mère mercure et ses gouttes cures, de nouveau squelette sous ombrée souillée... Répète, répète, et propulse à termes, répète et regerme en échos repris... Répète la pulse et rejoint l'émulse et ainsi de suite dans ta peau crânée, l'orageux grandit et ton fleuve jouit, répète, répète, et redis-moi oui, et encore ouioui dans ton énergie, ça t'excite oui en glissant par poches, les atomes anti te ripostent oui et c'est leur conflit dans le non du oui... Répète, répète, répète, répète... Cuve acide cycle érigée gagnée. Étendue miroir en vaguée-marée. Aurea, dicta, aurea, tourbillons scellés... Rapide plaine avec son bleuté trompes zui d'oiseaux appel des sous-dieux à l'extrême couilles et l'espace à fouille entassé-houillé... Sexes divisent en plaqué-basé intégré pépé venant à leur place là où trous s'embrassent sous le cravagé... Ils appellent ça baiser déroulés! L'oiseau jaune, disent-ils dans leurs conneries, sait où ça veut pondre, il y va au pif, avalant les ondes, comme un satellite antennant ses traits... Soit : méthode commode pour rêver conscience avec électrode pour catalyser. Mets-moi ta cathode dans le respiré...

    ceintures sonnantes nuages rivés
    rideaux enroulés torsades montagnes
    pluie d'air liquidé dans le vent d'été
et retour-montée détournant l'attente :
    perdu au levant trouvé au couchant
    je salue j'attends les mains dans les manches
    je joue en pensant sur mon eau coulée-

ça passe en tempête dans le double aimant, tu te fais coincer dans la sphère à dents. Le zizi se bouffe tiré en languette, les muqueuses ont peur jusqu'au foie chauffant. Il gicle aux confins et là se replante, ça remue pour rien et revient à rien, et rien rien de rien jusqu'à tour de rien quand la perte floc du refrain matin s'engouffre en son sein de rien qui s'éteint... Cellules tournant s'annulant zéro pour me dire en peau de leur faux dépôt, jambes poumons veines du toujours en trop, acidé pantin dans la bite à crin. Cercle battant croulé retrouvé sous fièvre empiffré délires agonie sur soi, vachement bouché du cu à l'oreille qui tinte et suinte dans son vieil effroi. C'est cuit et recuit et cuicui requoi, ça finit fatigue s'il se branle en moi en rappel à blague de berceau cracra... Il grouille en père mort se raflant les mondes, il se bloque au bout de son œuf piégé, maculé-tremblé sur sa fente à mère qui revient gris-gris sur sa bouche aigrie... Il s'entête en vain à chercher tétine ouvrant sa tétine à l'envers des plis, et neurones pris dans le plat-bassin, et tartine-gueule effilée boudin... Ô cireuse écorce, ô cornée jaunie, il se fait trouler dans son œil vitrage, dans son sarcophage anthropopipi, ô pépère peureux dans ta chiasse cage, tu te fais croquer par le vieux non-dit, ô fémur à gènes envoilé d'oubli voici qu'elle te porte pour aller aux chiottes en culotte à elle et flétrie-blanchie, c'est elle, c'est elle encore en cachotte, et c'est elle en gobe de ta morve hennie, c'est elle, c'est elle tirant la sonnette et c'est toi qui crèves dans ton râle appris memememememe dégueulé vomi... Il frémit, l'ancien, et s'écroulentier
le cheval blanc saute le fossé
ainsi sans bouger avant d'être nés leur fin les détourne pour mieux les manger, courant noir charrié par humus

brassé, ils envoient devant leur pupille folle, leur bouilliesanie et leur flaque molle s'égouttant séchée en merdi-frottis. Le cercueil se tait à côté du lit comme temps béni où little momie éclatait près d'eux quand ils tringlaient ferme. Sang par nez percé reniflant ses germes, laryngé sifflant son mamamémé! Ils coulent, ils s'écoulent dans le bois du râle et du côté siècle à récimenter n'importe où en pierre sous les fleurs fanées... Dès qu'il a gueulé, elles sont soulagées, elles ont leur poupée bien talquée lavée, et le clou pépère éjecté en mou qui se traîne-couche dans leur vieux dégoût. Soit: pour une femme, un homme est tout entier un sexe érigé ou un trou, mais jamais un corps muni d'un sexe qui soit autre chose qu'un trou. La femelle choc est fleurie tabou, son plateau d'envol par le spasme à col est tout son alcool et son après-coup, sa zizane enflée, son étron capté. En sainte! Créchée! Soit: tissu-chatouille vise au front pépère quand la queue se clôt sur le glandouillé, il sursaute, meurt, c'est repeint-refait. Comédie roulant sous leur appétit, c'est le con d'ainsi repoussé en miettes, la toison-tison de didon suçon, le gazon-d'oison décousu braguette, ô vieux dioquarats disparu-clamsé dans les coins cuisines et les crabinets!

pour celui qui naît ponctué storié et va travailler ses reflets brisés, il faut l'accumule des hasards croisés, bourgeons tête en arbre sur absolu vide et fluent procès avec nœuds-sujets, les courbées d'explose du rassemble en cause, et le socifié en élucubré. L'embryon vient vite occuper sa classe, chromosome langue et géographie, et canaux monnaies et foutrindustrie, roulements planés sur paliers et ventes, et luttes-montées dans leur époupée. Ça poussait partout, ça parlait partout avant de dire moi, avant de glotter dans sa gorge à moi, et je les revois sous leurs mots-veilleuses, ombres délayées dans leur boue laiteuse près du bord de l'eau envigné tassé, avec vin tiré près de l'air salé, l'embouchure à vif dans sa silhouette, océan sablé et courant runné... Femmes sombres blanches sur le sol de soie, l'embrunie rieuse et le vent noroit, et grisée d'emmouettes avec raisiné, tu l'as dit, cousin, dans ton lourd germain, c'est la mer qui vole et rend la mémoire... Tu l'as dit, quand le bleu fait boire, c'est le simple bleu qui alors surgit et bientôt éclatante et fraîche buée d'or à chaque pas du soleil plus grande dans parfum sommets tu t'ouvres à moi comme une fleur, chine! Le marin sait les îles. Nichts ist gemein. Trembles gris figuiers coupe fine. Bateaux vers l'indo. Mélange fond pressoir langues moulées noires du sud-ouest au nord et du nord au soir. Élevant la voix là où ça décharge. Et courroies d'usines cuve étuve doigts cisaillés. Sujet d'algèbre saisissant sa fièvre animal machinal coudé. Rumeur surgrondant les cerveaux fermés-

foulard soie jaune six fois noué et sortie défaisant l'envers. Nouvelle ère! Caveau de l'espace houlé et miroir bras tenu dans la danse soleil vibre aqueux d'avant pèremère rejoué au-dessous paroi. Jaillissant l'éclipse reluie phare ellipse. Courant délaçant tout son dehorsquoi. Papamama paratma des prêchis-prêchas bulles écluses en néant globules noyaux balles blanc rechargé à ras. Première sortie du cassant schéma. Renvoi de l'emploi. Opéra d'aura uranium en bas et radium en haut pour sonner le la. L'atomise! Grossesse succédant à viol décompose! Ce qui peut être dit s'en déduit. Malgré toute voranarcisse de base transmission-lutte dans flottante histoire. Maintenant par masses et laboratoires. Depuis porte ancienne avec discorde et nécessité passé

crible et sa voûte en cible, approchons du toit. Effet de fusée cabiné capsule. Vibrant pic éclat. Si l'acteur n'est pas grillé ici en quart de seconde, il verra son démonde en panorama. Salut, camarade connaissant ma perte, salut disparu dans d'autres pourquoi, fais-le noir pour moi dans ta mémoire nette, futur à gommer, infini croisé... D'abord pour expérience ici relatée perte connaissance en fondu-chaîné. Puis découpe à nu par soufflé-tracé. L'acteur se réveille, ne se rendort pas-
    bois-

FACE dévidée frappée de plein fouet catapulte sèche en gazeux mouillé. Étoile vagabonde bleue consumant ses couches. Sein, sein, sein liquide et repulsionné, l'étincelle entraîne sa plaine. Torpillant le nez, réchauffant l'haleine. Emportant la gueule en éclair tranché. Au début voûte noircie croûte effet hermétique compréhensible si la craque en deux simili-jumeaux doit manger son beurre en onto-phylo-

xvamn!

acteur maintenant ramassé en canal-fibro remettant bardo dans sa boîte. Rejouant balade dans son artério, repartant ulysse en prenant métro. À noter ici que quand ça dit o, faudrait pas penser à du sublimo. Ça marque zéro et encore zéro, et toujours zéro en plus loin schizo. En somme trous d'air dans raté bobo. Vicobruno hegelo et ça coupe net en carlo marxo naturengelso et surlenino, pas moyen d'y voir sans penser mao. Remets ton pantalon en prolo. Ajoutez ici, et pour faire le poids, la bonne potion du docteur joie-joie qui permet l'emploi du psycho-patho. Nom d'une planète! D'accord sur le fait qu'ici c'est pourri? Qu'on se fait chier à pisser d'ennui? Que vraiment ralzob et plein la bourgeoise de ce vieux circuit à mourir au lit?

Bien. Laissons nos moutons et creusons le cri. Pour l'accompagner dans sa dinguerie, il faudrait racler le terreau d'oubli les filles les muses aux tresses violettes l'harmonie soudée au fil des versets l'énergie tablette la salive à bruits... N'empêche qu'ils pigeaient les cérémonies, ces Grecs aux longs becs avec leurs sophies... Ah, la mer vineuse, les vaisseaux bleuis flèches boucliers bûchers lances danses... Hou, le gros platon tout encousu d'or, y paraît qu'on suce le tyran du bord? Qu'on retape en mythes les idées d'abord? Qu'on aime pas l'écrit et les démocrites? Nom d'un nid de dieux, visez-moi l'décor, ça bouffait pas mal, ces aristocrates! Lui s'obstine encore à tenir le coup, il en veut, la vache, il se tire en creux, couillonné-vidé dans son usinance, enrythmé-cadence, divisé en pattes... Son discours haché nervuré tamis éveille en chacun sa branlette à pâte, son bouton bouffi devenu honteux... Soit: ils arrivent avec leur secret comment l'enseigner pour n'y pas toucher, comment se rabattre en queue déniée même en parlant queue pour mieux se cacher, aiguisant la moelle en tétine ourlée. Soit: la femelle ici attend coussin père avec front fœtal indiquant visière. Le social-étal les rend plus ardents. Soit: pépère déprépuce pénis montant urétrant jailli en sautant sa puce, et pisse le sang sur le feu fumant, et se sent mémère en passant. Le rabeuglement ébranle forêts montagnes champs coraux poissons lents seul celui qui perce l'entend. L'acteur boit un coup, s'enfonce: enjambant sérum et bouton-dindon. Languille barrière où chromos s'excisent migration mamâles enfieffescendants. Famille quadrillant classes conflits sans arrêt vivable, acteur pensé fou parmi eux cadavre s'il les barre à fond en tournant leurs noms-

trois états prouvés au-delà des crises mezzo sopra-cammin en solo : je traverse l'eau, le ponts des couteaux et la roue-repose indiquant tournant et chute en volant aussi mince fil qu'un cheveu brillant. Meule main nue pied nu, sabre. Ni le ciel, ni la terre ne me donnent refuge, l'épée doit couper le vent de printemps. Et noirs bleus blancs jaunes les jours me rattrapent, séquences nappes tiédies nettoyant soupapes, et retournement. Petit phébus tenu par naseaux sensibles. Vraiment, tu les casses, dixit infini, c'est fini mon job de venir ici pour te détacher de tes liens lisières, tu as eu ton lot de pépère-mémère, suis ton ordiné, retombe en poussière... Ta case est prévue, chacun son rebut... On ne brise pas votre chaîne à crimes, vous l'avez voulue, gardez-la au cu... Or fini s'obstine ! Ce grand con chantant ! Il en est touchant ! Et de se couler en peuple sortant péan vocal sa recharge avec visions équations à lui conception d'ensemble et l'oubli. Et se rendant compte envoilé noirci. Progressant dans sa conne essence ! D'abord souffle feu suspendu en feu cercles irradiant flux neutrons tambours en cervelle. Puis craque cheveux blanchis pression modifiée goutte foutre perlant graissée et s'engouffre. Se plaçant au début sorcellerie sympathique près des sources avec liqueur insufflée montée nervée des sensasses, déléguées femelles assises sur bronze emplies de l'écho raflé. Hystère de l'époque en divan trois pieds. Tenant verge essieu frémissant de bouche grabouillant bavure d'épilepse. Elliptique sur feuilles d'impôts dispersées ! Dormant temples et s'y faisant couches ! Spasme ampoulé ! Prétention dicter huma cadencée ! Singeant première écoute vrombissante à sphères, froissements gazeux électriques avec pneumas entourant dormeur. Vue grondant membres tendons d'aiguise, sang bouillant charbonnant sonneur-

tête en avant gravant plafond d'astres, os adhérant basalte enflammé du glacé fixé. Rentrée atmosphère larynx en tuyau cymbale. Clou touche crâne communique avec ombre ceignante histoire peau mauve que la science atteint. Sur barque, il se redémembre, se palpe. Antérieur obscène. Les noms, disent-ils alors, ne peuvent pas être en entier traduits, ils perdent en salin dérapant d'une langue à l'autre, le relief mousseux s'y décapte. Sous névrosés se donnant les dieux pour évaluer les rapports de queue. Et tenir production publique. Genre : murs d'oreilles, éléments pleins d'yeux. Économique à police. Fliquant ainsi le commerce et autres petits trucs servant à canaliser les tributs substances douanes mettant l'autorité dans leur sac soucieux. Jouissant se réprimant les femelles grands airs de pépères coupés stoïques pour rire en privé. Pincées diplomates distribuant l'incompris par bribes. Saquant l'épicure. Conseils chuchotés au lit, panoplie sublimation variée en coulisse. L'ennemi pour eux c'est déjà l'acteur traînant populaire venu de chez eux mais plus léger qu'eux se disant lui-même dieudieu échappant contrôle en mathématique et séchant la messe. Narrateur en somme n'enfantant pas du côté caca briseur de méta et foutant la merde dans leur opéra. Entraînant de mauvais papas. Le contrat mariage n'est pas là pour ça. Et donc la bagarre continue sans fin au poil du langage, eux voulant maîtriser bébête imposant ronron avec cyclotron dans sa voix. Et lui, pas d'accord, défendant musique. Et eux à la trique ! Voulant non sans raison la progresse et tout l'univers cité sans rien exciter. Disant fermement que le a possible contient le possible non-a ou encore qu'un petit chat n'est pas un petit de chat. Et lui, chahuteur : coucou me voilà! Le prêtre, le savant, arrière satan trop tentant, ont en commun récupère un défaut tympan. Quant à ce qu'ils voient, regardez vraiment : découverte œil gauche verre à moitié mort déployant noyée métaphore tandis qu'œil droit gris souris laisse larmoyer métonymie en dépit. Ici, sa femme ébahie! Le reste s'en déduit sans peine tortueuse libido timide sous plis. Honteuse réprimée pipi. Même quasiment aphasiques deviennent donc spécialistes mondiaux de la chose friquant tranquilles la langue lancée sur marché désinfecte avec hypothèses sur maintien de l'ordre dans invraisemblable psyché. Échelle jacob mais sans zob. S'adorant par défaut phallus en moellos avec paille lotus pour sucer logos. Biblos! Biblos! Biblos!

lumière tire son reflet non-dit. Taillis vert gazouille et rosée d'éparse. L'aiguille sépare la tête du corps. Lui traçant torse enduit tatouage reins sous peau glacée démolie. Traversée terre continents plaques soleil réfléchi luné en lentilles. Couronne formulée fibrille cône de silence arctique indien pacifique et fuseaux des pôles. Pointe en filet résille débrochant les rôles. Les humains, disent-ils, visitent les réserves pluies herbe roulée pulsion sous pression précédés par chiens porcs souris en épingle et tremble en épidémie. Profondeur les tringle. Rebander fossile pour se raconter n'est pas de la tarte, chéris. Déroulée d'épaisse, la pensée n'enfante sa fièvre qu'enfilée rôtie. L'espace est dit vibré si le temps reprend son tournant scaphandre. Roue libre et queue chassant danse claire sous dictée d'images flux vertèbres cuisses talons et volant mes cendres, je maintiens ce lexique, point-clic parmi eux noteur du conflit. Ce qui ne veut pas dire que je fais le singe pour mon plaisir. Origine propriété famille état et tout bordel à revivre méritent cependant de. Avant de passer à lutte plus sérieuse sur l'à-pic serré à venir. Futur boucle passé dans sa tranche. Sinon, quoi de neuf ? Vous lisez mieux un peu veufs. Votre truc est plus enfabule que vous n'auriez tendance à le ronronner. Le nœud d'application se remonte en branches. Et de là aux masses yeux ouverts dans mouvement dialectique poussé par l'ensemble unité multiple et lucide en cause, je vous ramène la gerbe de votre infantile mais grandiose navigue obstinée purée. Qui s'ouvre toujours ici ou là sur vos fêtes avec refleurissement tout fruité. Ce qui implique passage par votre petit moteur à giclure. Résultant nature d'explorant trajet-

en somme il veut être jonction sous-monde et chaos marée animée. Se retournant sans arrêt feedback dans tric-trac de base archi-millénaire cellule engravée module. Et en même temps faisant son boulot donnant sa formule. Or ils hésitent à se penser bulles empreintes pour apprécier total d'animal et hasard ballon de leur trouille en con. Input ! Output ! Premier hic à dépasser en dentelle ! Soit : la station debout refoule à la fois l'odorat-baisage et se courbe en bras de pénis d'estompe. Odeurs leur pinçant la trompe. Soit : pré-conscient relève inconscient caca, brise sa manie des photographies, verbalise à plat et marine au frais dans sa pompe. Ici, conscient apparaît, sale gueule, garde-à-vous, je suis, policés papiers. Au départ villages montagnes loin déjà bon sauvage apprécié par savant bébé. À quel prix l'europe a mangé du sucre en cuvant son stupre aussi passionnant que guéguerre opium quand vieux dragon s'est vu chatouillé et a dit : assez. Champs parcelles en lanières cultivées carré. De notre côté bidet méditerne type jambes bras cloués assurant commune. Séquence pas rose avec passion du prophète! Tout ça sous la lune. Et volonté pas encore collective où régnerait nécessité trouée de hasard ayant appris à jouer aux dés. Fabriquez, fabriquez, il en restera toujours quelque chose. Centrant communauté dans sa dose et millions millions bras et crânes rentrant dans foutre inégal labourant plantant pour leurs royautés de guerriers curés... Expropriations successives. Il court le furet! Plèbe patriciens chevaliers esclaves maîtres compagnons bourgeois ouvriers, chemin tortueux agitant marionnettes diverses croyance expressive selon l'intérêt. Bruit fureur terre fouillée avec reflets-rêves propulsant l'exploitant du reste, sortant de temps en temps dieu local pour se montrer l'heure. Les meilleurs poursuivant l'usure munis d'ouvre-boîte enfoui disant pschitt capsulé zizi. Nations christées prises en diagonales malgré charniers périodiques. Jusqu'à découverte historique remettant jouets aux placards, pépère au sommet et fiston sublime tandis que mémé tirait les ficelles de leur refoulé. Rideau. Mystique à zéro-

la révolution est tout à fait autre chose touchant canaux morcelés où chacun s'ébranle différence en strates. Croûte planète éruptant sa gratte. Et masses trouvant à se refléter pensée décalée. Nécessité comme chimique déployée par circuit pratique, forces et rapports en ayant marre de jouer à cache-cache avec destinée cyclique ronron. Il se lève, dit non. Et non. Et nonnon. Scandale! Mammifère qui ose! Indignant névrose. Loin du blé marais riz charrues buffles gradins terrasses miroirs foutant colonies en l'air, l'impéro tranquille avec son coton navire depuis des siècles obligé larguer ses comptoirs. Missionnaires trafiquant licence et commerce. Crise à banque par tous les

couloirs! Paysans qui percent! Cernant fantoches
mouches aveuglés perdus sans machines, crevant dans
marécages piastres bambous bicyclettes chassés des
temples visages de pierrextase. Soutane et treillis flambés! Paras décimés! Occident recevant sa tripotée
méritée après trafic de vérole culminant dans l'améri-
case! Eux formant cadres cavernes malgré bombes
dum dum et raison grandissant au cœur des vallées
fillettes dansant viets sur places femmes sombres fond
du soir tombé
      sans limites la pensée répand
      robes de soie dans le vent
éclats billes fléchettes éteignant les voix, et champs
dans l'acide. Thorax perforé renaissant à vide
      modèle brillant et constant
      devenir neige en montant
armée rouge enterrant ses bases progressant rapide
sans phrases. Et les cons blanblancs s'empêtrant fli-
caille à travers ses mailles. Partout grésillant fusils
levés drapeaux et tambours redressés drapés, wan suì,
wan suì, wan suì, wan suì-

blanblancs autrefois cultivés siècles d'or avec voix
d'organes, madrigaux lancés sous les arbres harmonie
gorgée couchée près des fleurs
      sentendo morte in non poter morire
runaway chacun se dépliant dans sa ligne tenue sans
erreur sur son ton voilé. Voix, voix et voix détournées
creusées, sillons maintenant cireux dans les disques,
respirant l'odeur des piliers dorés... J'écoute appliqué
cœurs battant notes portant sang femelles rentrant
souple en mâles renversant mélodie en-deçà folie
savoir sans répit du cerveau tourné
      le tue dolci faville

oscillant coulant mineur et majeur par vagues couleurs se levant les bras
loquace silenzio il labbro spira

voix voix éclatant poudre féodalisée, et eux atteignant
ainsi leur durée, diffusion d'ellipse dans leur science
éclipse, phoques s'appelant tassés sous les glaces en
veilleurs d'espace à sonoriser. Mémoire effacée tuyaux
fibres et vibre surface déterrée penchée, avec a et o
s'inclinant dans l'herbe, et mortes hémorragie saisie
sous pluie fine. Pines des mâles exposant vocal raidi
dans sa ruine, buée des cordes nouées. Femelles se
penchant frilées sur le bord de mer où rentrent les
vins, les épées, les bois, leurs yeux
                                    ascolta
fixant le delta
                        una mano sola mi risana e punge
c'est l'époque en pointe tout enluminée, la minorité
nobilitate, un chrétien vaut mieux que deux tu l'auras.
Coffre église avec queue sacrée suggérée et crossez
mitrez bénissez-moi ça! Politique en diable et sacré
repas! Musique musique ô passe musique sur leur
vieux délire déguisé merda ô musique en bruit et pein-
ture à cris mélodie pré-père et prépèremémère, enfuis-
toi musique en toujours verdie, branche-toi, déborde,
allège tes plis-

tu vois, dit infini à fini
> e l'un dall'altro, come iri a iri
> parea riflesso, e il terzo parea foco
> che quinci e quindi egualmente si spiri

tu sors par ici comme oiseau touchant tous les dix mille ans le sommet montagne et sa roche temps. Le rire de l'acteur devient en dormant une sphère à l'ombre, la moelle pinière court jusqu'à ses doigts. Doigt n'atteint pas suspens. La mère accouchée, déconnent-ils alors, reste intacte, elle devient fille de son fils rêvant, fond blanc éclatant neigeux tournée au-dehors dans le virginant. Marie sans mari bouffant son enfant. Ici, loi nouvelle : arrêt flux génération possibilité de couler soi-même réflexe. Elle germant syllogisme fleuri en caisson. Infini, dit fini, donne-moi le la

> fa la lingua mia tanto possente
> ch'una favilla sol della tua gloria
> possa lasciare alla futura gente

bon, oui, mon bébé, mais dépêche-toi. Regarde midi et pense à l'arrêt, comprends que tu fais un fameux marché confronté à mort avec ton reflet !

> cio ch'io dico è un semplice lume

le désir sans elle ne peut se fermer, elle répond relance le regard brisé... En marquant tout ça, l'acteur jouit plus large, il s'efface fil du ruissellement le prenant d'envers en surplomb montant balayant feuilles déshydratées cherchant à capter l'étincelle. Poca favilla gran fiamma seconda. Tu parles ! Et tu m'éblouis, proteste fini, tu me flambes l'aile. Pose-moi comme x riposte infini, use tes réserves, insiste, nettoie, tu n'es pas plus moi que moi n'est surmoi, reporte-moi toi dans ton fond matière. Et saute en coma. Ponctuant double sous terre. Et maintenant flotte sur eau plus d'yeux ni bateau et pas plus de dio que de je d'io bien que ce soit

je qui joue le morceau. Et maintenant oublie l'incendie dans l'aimant d'inscrit. Fibre efface et balbutie l'obnubile en sucé lolo. Et maintenant vif du sommeil s'entamant réel refais-toi couplé et musclé. Trois cercles feux mais couleurs distinctes reflet du troisième émanant des deux. Ou deux en miroir et trois dans le noir lumineux coupant pour le comprenant. Vista nuova quadrature éclat vue plongée par jets dans son vice. Circulante effraction d'hélice. Décroissant de l'éclair pigeant. Acteur évanoui dans son infidit
dans les lacs les poissons s'oublient-

chaque nuit pourtant couvrant poche lave, pariétal en bave de son gargouillis. Bout chair pondu ventre mère fruit retour en larve soumise aux terreurs. Électricité parcourue cuvette intestin vomi. Labyrinthe ancien de la corne à pleins, voilà les parois de la taureau danse magiquée lanterne à colon de rate appendice casse près du foie sali. Étoffe pourlèche cœur fécondité de la fesse. Bégaiement rêvant sa maman. Borne et bégueux boiteux dans l'enfer minable. Manger ses viscères demande sel de la langue écho soufflant grossie et bilatérale avec sens du nerf vague et passerelle à fond d'éjacule. Étron jamais complètement présentable. Récurant cellule. Araignée pneumo-gastrique les poussant malgré eux à pincer leurs crocs. Mâle poussant hic en effervescence et femelle attendant ration de l'espèce. Et eux désir beauté charme vertébré patati patata et sans cesse. Bien tenus en laisse. Se croyant viros! Et elles patientes attendant spermato mastique. Et eux s'imaginant carnac de leur couac. Supermenhirs branlant de leur roche! Pareils à la broche! Elles barattant leur pont revenant déchirure inscrite fillette. Et se les beurrant à tâtons. Espèce émargeant l'homo par jouissencoulisses. En avant pipettes ! Et tous au labo ! Clito pro nobis ! Regardant ainsi grouiller leur matière sujet rotation de bidoche en bière. D'abord branlette jeune tout ensoleillée pénis frais concentré de lait surnappe giclée glandouillé salé… Puis la pente à creuse et marée cireuse. Narcose et cirrhose. Faust évanoui dans sa diablerie, dépatouillis, chiasse étalon maigri. Ou encore se matronant dans leur couille travelling en bourse, toujours friands de la chose symbolisée par bouffe ou boisson pipi. Lisant philosophie consolante masque à gaz sur atomes fentes, se pétant concept et catégorie-

vas-y, serre-moi ça, démarre. Raye corps plie main démassant la tête en barbare. Pousse-toi au cu de l'en soi. Vibrato fleuri en pizzicato. Flûtes clarinettes hautbois violatrompes et bassosaltos par la gorge écho. Languette mors immortalis feignant d'être en mots. Réverbère enclos du mélo. Globe à voix de l'acteur renverse, déclic du réseau, et louvoie. Il laisse dormir, la planète souffle, elle lui essuie tout son petit moimoi. Comme derviche cramoisi tournant sa corolle frichée vif d'espace avec son ultra. Saraf ! Danseurs placés d'air et plasma. Et toujours, devant eux, la féminine énigme emportée sans traces ! Vent solaire avec trous de verre. Sifr ! C'est passé, ça passe. Ça repassera. Homo trois cent mille ans apparaît poisson asséché amphibo singé terre à terre. Étonnante huma. Nu tendu fragile dans son mage d'or animant non plante fruits cueilletant sur tout animal fondé ou virant de bord en couillu ferré ou encore chute en caca péché histoire à dormir debout civilise. Puis de crise en crise. Mettant sa chemise. J'ai ce mufle en moi. Et je le fluide volontiers babines et quand ça me plaît à cheval narines en vous renvoyant pour détails à votre assurance baguée d'origine sans laquelle vous barbotez tout quoiquois. Silence, mutrice ! Pas de masturcol dans ma cicatrice contractant bibi sous langé zizi ! Curailleurs, silence ! Plus de fœtus barbe à relents de rance ! À bas le fardeau de votre bobo, votre petthodol à christo dei, à bas votre ciel, à bas vos hosties, vive l'horizon de l'orient rougi-

pour sortir d'ici pas d'psychologie. Ça fuit, ça remue, ça frico merdasse, ça se chie d'égouts, ça pue, ça finasse, ça lappe, ça suce, ça passe au lapsus, ça jute en remous, ça scie la queue d'sous... Elles aiment pas l'mec qui trahit pépère, pépère est leur dieu, leur croix, leur nounou, leur mémère antique à gros tube mou ; elles aiment pas ça qu'un zizi s'évade, devienne incomptable ou gratuit foufou... Et de chuchoter l'impuissance de celui qu'a vu le clapet-ventouse, le sac à partouze de leur fourre-tout, là où ménagère soupape en sang d'étagère se consomme en primitive écolière. Et de garder sévères la porte du temple à coucher pour papa-maman. Et de toucher récompense à travers le temps. Obtenant leur chaire. Propageant idéologie conséquente pour former mâle à la fois pédale étalon. Miamama, miamama, crient-elles en réhumectant leur culotte à fond, leur poupée crêtée de mimi didon, miamama, miam miam, hou l'boudin d'pama cétipatrébon ? Soit mon axe à pôle, mon reflet-garçon, je suis ton minet, ta femelle étron, ta mémé-pinson. Sois mon grand fiston du cornu piston ! Survole, domine, que mon règne arrive, sanctifie ton nom que je le rumine, que ta queue soit faite en virgée ridon ! Ainsi font et font les fées mâlusines, et eux de se rengorger comme petits cons. Se croyant sortis de l'anus en bouche, patriarches merdeux ligotés mouches remplissant fonction. Tandis qu'argostronautes pansementés piochent lune ombilic limbé, terriens regardant performance bébé déjà face drapeau enfliqué. Ramassant cailloux et poussière quatre milliards d'années retrouvées. Beaux comme chenilles pus panaris. Rappelant conquêtes confuses dans cerveaux d'enseignement primaire, boussole caravanes gouvernail café tabac cuivre alcool étain soie galères d'or et naufrages. Enfants marmonnant leçon bouillie, maigre base de sons au départ pour passer direct en histoire, guilis quadrillés par économie selon l'âge avec science rare sélection en cage. Classe montante écrémée par classe dominante 2 % fils d'ouvriers dans super modulé. Et tout à la clé-

quindi uscimmo a riveder le stelle ? Balade néant éclairé soufflant, tu vois ta bubulle à dissoudre temps ? dixit infini en suçant son pouce. Ta mâchoire à moelle, ton fémur concis, ton gland circoncis d'aimable pupuce, dis, mon p'tit fini, mon poucet mimi, t'as bien respiré le voyage en douce ? T'as trouvé ton legs dans la neg des neg ? T'as vu l'excision sous leurs lourds jupons ? Tu poursuis le truc, ou tu t'fais marron ? Les raisins trop verts, tu les veux pas chers ? Ton masso vibreur, discours d'électeur, tu le branches en peur ? Ou tu pousses à fond ? Ici nouveau visage plonge pâle en vide, mais vide gouffré nul océan sous peau d'électrons. J'aime déguster ta fluide agonie, le plus gros nié reste à détailler, j'aime ton ardeur, ton côté crâneur, attends mon horreur en hilarité, ma mitraille sèche entourbillonnée... Viens, mon p'tit chouchou, que je te trépane, que je te la tanne ta courge à tarin... Viens, ça t'changera de ton vieux train-train... Viens viens viens, suis-moi dans ma fente à sphères, décroche, accélère, j'ai du bon non-être dans mon somnifère, du bon herbacé dans mon tube à dents... Tu joues les fumées, les fakirisés, le destin d'homo est réenfilé, ça masse en fréquence, ça trille en biseaux, ça se particule en éclats-faisceaux, viens, c'est du nanan, du vrai chanaan... L'acteur obéit en battant ses cartes. Suivant son mana menu issu de son trauma nu. Tenant corde et retuant le connard commandeur surmort en statue. Lequel voudrait partout surveiller les cases et venir faire meuh à la base. Empêchant le chant d'être éclaboussant. Et geste riposte le foutant dedans. Gloria patri et panfilio, raclons les violons latinant deo, sicut erat in principio et spiricuicui sancto. Cantate! Surgite! Doucement, doucement spiritutuant

                              semper et semper
et jute-moi flot mezzo soprano
                              gloria filio sancto
ou encore poussant et pressant son air
                              sicut erat et nunc et
                              semper
                                   semper
et puis là cascade dans le sœculo et tout le bazar en phénoméno... Sans pépèremémère, c'est plus rigolo, ça jouibile mieux en multi-solos, ad te clamamus vieil écho culbute lauda laudanum et alleluia, dire qu'ils gambergeaient à répéter ça! Homo désormais mimant sa chuchute hors de son amen étourdi béat... Je sors maintenant, je cours, je vous sème, j'entends les oiseaux en raclos-ricos coquilles sonores et groupés cocos, je sors, je déconne, je casse ma graine, je m'efface à pic dans mon modulo-
sans pourquoi fleuri
vas-y p'tit!
                              banco-

À FACE de face et b à l'envers et c en surface pour couper l'endroit, ça fonce à la fête en griffant tout droit yasna!

en rune et rivière pour roulant courant, rivagé battant dans le rebaignant, passée la douadouane du vieux de la vieille, de mèrève-adam se repommifiant, recyclons d'abord, foutrement commode, circulés viciés ou gesti-culant, le château-comment sous périphérant, là où ça méthode, où ça joue croulant... Il y va-repique l'acteur au volant... Sandhyas! Sandhyas! Sandhyas! dormou-rant le bas, appelant l'eau bas, résuractionné l'air-veilleur du bas, ô rallie-rallie, ô relie-ravis, ô reluis pleinphix tout brillant luilui, soit l'oiseau en vie, notre râle écrit, nos sémématières sur l'ossiéanie... La brume s'enfuit. Et déjà homo antiquérecuit s'est redéisé en d'autres circuits. Recommence et danse nos panlita-nies. Dans ce durimonde, il faut dire ici que le père-aux-champs et l'étendue-mère, mémé des espèces, du dépècement, et pépé-durée de mèrespacée et pépère-marée de mèréthérée qui s'enfle, se perd, se récite-oublie, régénérations des incarnations des émanations en parturitions, oyez, ouillezoui, couillez-moi zouizoui, il faut dire donc et diguedingdonc, qu'ils n'ont pas tout dit, bien sûr et pardi, dans leur aquaface en défunts d'occis! Occident sans fard écoute fanfare: venant dépassant venant levant orbe sépultards cumulo nimbards résonne guette fini tam tam boue et totem à bout. Le théoragoût! J'étais je le fus je serai sera il me suis je l'est nous sont-ils il l'as, hosannanana, hozannahzéna, coucou me voici dans vos revoilà. Selon l'apparlance les cocuricos augmentent cadence et panorama. Globules! Rabulles! Ô l'ambule à soi! Ignorance implique double pression poussant savoir non forme action roulant charriant perception conduisant désir attachant sa chienne mordant sentiment foutant naissance en compote aimant. Cacophonèmes portant leur credo: l'univers, mon ange, futsera toujours crassant sa dépote et ses pierres-à-sourds, la matière étant son émiettement, sa cendrée vivace dans les veines-passes, caves d'entropies dans les troperies, le babil bébé se péchant de dos dulci déclinat lumina somno, ça lui fait la nique au planton du temps que ça tourniquotte tout galilément... Vérité gicle hors puînélangué du pénis enfant. Langue âge apportant son canalisé panier casse-croûte perché-croisé goutte à goutte rimes chat-bottées en tohu-bouées-

      mekos! kyrios! aïrei! aïrei! aêtorrhous!

foutre, dit le père duchesne, je voudrais vous peindre l'allégresse des sans-culottes quand l'archi-tigresse a traversé la ville dans sa voiture à trente-six portières. Ni chevaux blancs panachés, ni harnachements, mais deux rossinantes, foutre, activées soufflues. Les guiboles de la putain lui ont manqué au moment de faire la bascule, sa tête sautant de son col de grue, vive la république, foutre, pompidododu. Faudra ouvrir l'œil avec ces bourjus, ça pompille tout, c'est du corrompu-

      kakia! kakia! kaloun! Salut au navire!

noctes atque dies patet atri janua ditis sed revocare gra-

durn superasque evadere ad auras, poursuivons le hic
d'aurea tecta. Touche, touche ta refuillissante motrice
et babouine à ras. Tout est sacré pour un sacreur, femme
à barbe ou homme-nourrice. Sacer esto ? Semus sumus.
Per incerta lunam sub luce maligna. Débarque en miroir,
oublie ton humus. Atteins les nova, épate l'huma. Dans
ta ferve essence, trouve ton aura. L'inagninition en fin-
negation dans le fin du fin de la négation. Phonons les
photons, neutrons les magnons ! Allez, perce-la, perço-
reille-la, décapite-la au-delà mama, totum tota totare-
vola, et in spaeculum spaeculorama-

soit : d'abord femelles conspirent ensemble d'écorcher
les mâles, eux voulant partout les baiser en tout. Elles
jurent, s'entendent, attaquent matou, lui gobent le glou,
le revers à trou, le nerveux toutou caverneux zouzou,
mais manque de bol, ça repousse en clou. La nature en
dette impose braguette. Si tête perdue, plus d'individu,
mais si plus de couilles, huma s'exténue. D'où l'impor-
tance de toute l'affaire. Laquelle ne vous a pas échappé,
hypocrites fréfrères ! Depuis lors, en signes, en n'importe quoi, elles croient voir l'entrée du sacre ithyphalle,
couillasses couillettes trouducs et tutus, omnibulle à cu,
odyssée cocu... Ici l'acteur interrompt la série-défonce,
il se shoote à vif dans l'onanlulu, écouteur sirènes réson-
nant moulu, nageur d'inconscient en stuc et suture, en
auto-structure littéral abstrus... Exhumant les débris
de poeterie sur ce flambant globe fourbu et flottu. Cher
citoyen, lui disent-ils, vous êtes une survivance inutile :
les masses ne vous lisent pas, la science vous empaille
de part en part. Vos élucubres arrivent trop tard. Cre-
vez, nous ferons le reste. Or je vous apporte la peste.
Musa mihi causas memora ! Le temps de profiler silhouette libre renversée passante mains dans les poches,

profanation gymanastique de tout piège à rats. Le temps de phosphorer l'étincelle qui ne cède pas. Soutenu de loin par vieux bardes, sacrés farceurs alliés objectifs du prolétariat. Votre kulturkampf nous emmerde. Nous avons notre propre éclat. La révolution peut se permettre d'envoyer en avant quelques têtes qui nous remuent le bœuf sur la langue. Qui nous hersent un peu ce sol à caca. Nous soutenons ce dingue musical faisant voir plus grand notre gangue. Pas à vendre pour n'importe quoi. Aérant l'état. Sinon règne définitif d'omnipotente unifarcité dans l'invaginé des voracités. Univanité de l'inversité. Scolasse tics obligatoires retuyautée lèvres pincées sans histoire petits objets découpés rangés souche étanche. Classe exploiteuse long bras d'idées longues manches. Lourd trafic ennui pour gagas. Am! Stram! Gram! Trinité croulée! Am est le premier, n'est jamais usé, ne peut se comprendre que dans l'emmêlé qui engendre Stram tout bleu et golfé, lequel produit Gram qui cause en effet, le truc dégageant que ça cause effet pendant que l'effet accause l'effet. Amstram est à Gram ce que Gram refait en niant son Am que le Stram connaît. Et de piquer dans les colegrams pour se fourrer dans les rataplams, lesquels à leur tour passent parapalms, catanapalms, lyropsalms selon les degrés. Si vous êtes en Gram, vous expressez fort, mais l'oubli de Stram angoisse et endort, priez pour que l'Am vous éveille en corps!

> les ams sont mortels
> or stram. vous appelle
> donc gram n'est pas mort-

cnossos! cnossos! et lui de glisser en homo habilis erectus dans sa langue pluriverscelle. Ou sel. Et de là hlm entassés négoce banlieue rouge roulant sentant la barrique pendant que bourgeois se plaint de son manque à être. Nébulose salaire retraite emballeur dactylo standard. Train bondé ou métro. Tutti a caballo! Besoin se faisant sentir bulldozer joie-joie pour nettoyer sec écuries sapiens d'eau chiasse déposée par millénaires en buildings. Pendant sommeil rêve à l'envers où gauche devient droite mais jamais l'inverse freinage répétant sa tresse biologée retard. Sleeping. Odeur saline varech transversal dans tunnel singing. Serrées mandibules! Il chante pour tous, pas pour ses semblables. Crispation vomie bouche et yeux nuls. À table.

　　lui: avons-nous grouillé en perte et purée? le non-principiant nous a-t-il lâchés? le verbus en panne, sa panse bloquée?

　　moi: ononon, progrès, immense progrès, huma scientifiée, socialisme ancré!

　　lui: peut-être tout ça très motophysique?

　　moi: ononon, progrès, homo bien luné!

　　lui: le phono branché?

　　moi: oui, mon gros pépé-

et ainsi de suite en gâteux rythmé. Tendant bras plongée durée dénouant doigts selon gant d'air associé au froid dérivé déclive explosant à quoi-

enfoulée d'impact underground enfilé par ondes. Dégouline et fourmille et fibre continue sa ronde. Plaisir écrit en double constance pulsions rigolant dans les plans relais. Moimoi jouissant crève dans sa cuve à rêves répété du réappété gazeux grêlé intestin pété bile viscères attendant la cendre. Pourquoi ça redit? Pourquoi ça remplit? Pourquoi ça revient et s'enrage à cris, en cricris muets qui vous font griller? Mémé perception rencontre conscience près du cimetière, au poste-frontière où elles sont coincées. Bonjour on tricote, on fait son marché, t'as vu préconscient qu'est-ce qu'il a grossi, ses petits aussi, le con de concierge et le grand surmoi toujours aussi maigre c'est le fils à soi, tu sais l'architecte de la famille ça. Qui se pose là! Il paraît que la fille conscience surgit de mémoire, elle-même trace noire de grand-mère effroi, membrane mise devant les feux comme parexcite décharge en canal mobilé tracteur. Arrête, tu me fais peur! Et qu'angoisse aurait son ventre sur la ligne arrière dans la bourse active anti-récepteur. Même que tout ça ferait pas mal d'entailles en plein cœur! La retraumation vous rétroactive, c'est dans l'omission qu'elle a sa mission. Et comme ça vise toujours antérieur, tiens compte que ça veut d'l'onction barattage beurre des carburations. À quoi j'ajoute lien élastique des oiseaux migreurs et leur volition. Premier pulsif veut mourir au pif, agonie facile et froufrou hâtif, méandramé sous espèce sachant comment s'évanouir discret. Je veux ma manière, dit-il, et mon immané. Je veux mes détours et leurs intérêts, j'ai mes droits sacrés pour me foutre en l'air, je veux faire mon choix d'aveuglé-sourdé, claquer c'est mon job, mon lopin privé, mon miroir mystère, ma fente allumée-

cubes-sphères lâchés en éclairs flottés. Cible cylindre dans l'accéléré. Homo rigé n'est pas encore sujet clito luisant souple anguille et courbure dans le défilé. Inanime excède l'espace où revient lapsé d'alvéole papillons chenilles fourmis termites poison noircrâne parfum des phalènes traversant les prés. Si la nature a des roses pour nous, elle ne peut avoir que des chardons pour eux. Tout se détruirait dans l'univers sans les lois profondes de l'équilibre. La nature n'a pas de voix. Celle qui tonne en nous n'est donc que celle du préjugé qu'avec un peu de force nous pouvons absorber pour toujours. Comme il bande horriblement en prononçant ces mots, nous nous convainquons que

c'est là sa passion. Fond d'homo d'huma sait ce qui le
nie, pour un de sorti par l'accouchieur hors du con
batteur beaucoup plus de foutre a été produit, gâchis
débranlette en culo-fouillis. Pénombrelle excelsis dei.
Petit jézutt glissé dans l'oreille perce tympan de donna
dindon dondon de l'annonce fruit compote de nos
entrailles. Et ici ripaille dans le nouveau dit. Ô jimmie
aveugle auréole en spires, anneaux de saturne frois-
sant le ciel bas, rocher fireland et stratifié en celte,
engrossage de l'annule en siècles, fin d'ego bourgeois
dans l'agent niant finnommant l'hors-croix. Et de se
défaire de sa parenté par séries dansées croisées, pater
et avus, proavus gugus, abavus tritavus charniers de
prépuces. Pappos propappos ekpappos trippos et tatie-
tonton dans leur tripe à gosses, extinction de l'os et
sortie corpus. Effort! Attitude correcte du mort. Et
malgré tout femelle cherchant coït sera dite œstrogène
recherchant marmite en archange. De quoi s'étuver
quand ça les démange. Conduit grotte et lit mouillé
excitent glaires emmorvées spasme hissé au-devant
têtes expulsées du mâle désormais tout noir. Chimie
d'entonnoir dérobant homo agonie-couloir. L'insémine
se détache en graines confiture fraise et giclée gelée.
Tartines plasmées stèle enceinte avec son bouché en
avant carafe! Peignant la girafe! Bébé houlé du péché!
Viande panée ensachée, pas commode ensuite de fon-
der sa science, passe-moi l'frometon du socio-codé,
pas commode en bref de couper sa tranche, d'arracher
d'la vieille son tuyau fibré... Floc, ils l'ont en eux la
tresse gluante jet pétrole insaisi ganté et boudin d'ensemble. Frisson vertèbre du gland mou couilleur en
sueur tripotant sa tremble. Oh, trimeur d'échine, tu
décharges en con? Tu émets ta poudre pour les élections? Tu t'immerges à fond? Eh, pétu de faille, t'as un
bon caleçon? Ici, nature vient marmonner et tâtonner

51

fresco en luzerne, océan vert d'eau et marée de temps
se circuitplanant dans le nocturno-

partant des masses revenant aux masses syntaxe reflète
rapports de production et s'y met. Départ mythes
parenté jamais rationnelle grammaire ou déclic de l'en-
tassauté. Saint axe, veillez sur nous! Même si notre
courage consiste à tenir le coup dans la rage. Même si
nous tirons serré notre coup. C'est l'intérêt du prolo
d'affranchir le fin mot du sexe. Montée parallèle pouvoir d'efficace accru. Vieilleries complexes. Petit-bourgeois épatés voyant s'ouvrir l'entrecuisse clair obscur
d'occulte. Masotérisme! Égypté du cu! Se retrouvant
vieux moines lappeurs de pénis tendons garçonnets
rabattus ganglions d'aine ou d'aisselle. Pâle éboursouf-
fleur du périme à selle! Tandis que nous à la chaîne et
pointant cambouis. Et lui chant du coq encore là bloc
d'éveil encastré froid d'air lui coupant les lèvres. Faisant signe à travers ses bruits. Mangé par sa plèvre.
Remuant bout d'orteil vasouille signifiée apportée par
siècles débris. Petits points s'allumant grains dits.
Petites lueurs savoir sans prix dans la glisse. Servant
coulée mercure anti-syphilis. Aujourd'hui. Perdant son
hébreu latin esquimau d'étrusque lourde basque frusque
pour grimper chinois. Je suis dit-il celui qui suis tout
en essuyant dit-il la suie du je suis. Tout fier hercule
empoté sous grappes la main sur sa feuille de vigne
in vino veritas. Mon programme n'est ni homme ni
femme. Je les dresse l'un contre l'autre jusqu'à ce qu'ils
s'aperçoivent que la question n'est pas là. Ça fait de
la casse. Ça décape ça. Oh! sacredieu, dit-elle en se
pâmant, il y a un siècle que j'ai la fantaisie de me branler avec des cœurs d'enfants! Sur quoi, elle décharge.
Et reprend le large. Torrent buccal surgissant bocal

couillito d'ego dans sa somme ergo. Et, donc, l'acteur travaille ossements sabliers de sang, tube moule éléments et filandre en pores, freuduleux effort pour tenir le bord, tandis qu'elle quadrille achoppement de sa cadre mère ou suçant sa sœur débouchant. Gonflant leurs gonades ovulant gouinant. Pépère voit sa queue dériver aller se coller sous mémère en clito slipé. Roc d'imaginaire! Méconnu pas vu mais sans cesse en vue! Terre! Terre! Fourbu. Franchissant homosexité d'hétéro jarrets du sphinxé. Homo d'abord chien-chien quatre pattes grognant anus frais palpant l'air ambiant. Puis singéniant zizi délégué. Au début, coït, c'est caca montré: originurine en sadomaso qu'on retrouve ensuite en dogmaturé renversé ensuite en révisionné. Le dogué homo a pour cu son autre, son humble momo accroché en trop. La dictabiture vire en pourriture, le grand m'as-tu-vu, jouant pépé mort, devient matamore et formol fascho, il tire à vue d'œil sur le populo... Les empires empirent, les dioques-statues évoquent mémé sans fin remembrue, sainte verge crue dans sa plus-value, américafric abattant ses noirs, russinante en train de broyer du noir gaspillant psycho et tâtant l'indo, l'arabo-gypto, dans son islamo, rêvant d'occident empirio-socio, perdant la courbure d'asilatino... Ça fuit, ça s'écrit, ça coupe, ça jouit... Jusqu'ici vachomo blanchi riait tout jauni dans sa crémerie, eh bien c'est fini les chinoiseries, c'est le jaune en riz qui vous dégrossit-

maintenant tournant dimension d'histoire saisie ratio irratio sexe étrangle voix sous dialecte. Moment émouvant près des chiottes nuit tombée pressant aorte et trachée. Détachement rouge là-bas encore bleu ici dans les ombres. Tombes replis chimie et l'urne à parole détecte. Gosier astrologue à pie tour babel s'élançant des nombres. Sortant de chanson sirène. Pagnez-moi le con, disent ces hélènes, soyez donc pour moi un bon compagnon, signez-moi contrat et stipulation, consternulation et convocation... Nous aimons compter toute compression, mettre des compresses à vos convulsions, vous consasser l'os dans la congestion, nous sommes confuses, nous le confessons, mais vos durs concepts, vos congrégations deviennent combine où nous convergeons. Concave ou convexe, votre convoitise est un continent dont le contenu est le contigu de vos conversions, votre contrition et vos conventions sont les consanguins que nous consultons, nous vous congelons, nous vous confondons, votre confiture nous inspire en rond, c'est par contagion que nous opérons, contamination et consternation. Ô constellations, secret minhystère, notre conte est digne de notre surpère! Ici se rassemblent conceptions contre-temps contraires de nos contorsions, contrecoup et sens de nos convictions contrebande avide et conspiration. Par comparaison et compensation à savoir pensée par contributions que nous percevons au nom de l'espèce, nous vous consacrons maître couille en con, vous adorerons, vous cogiterons, vous enfanterons, vous reproduirons, vous protégerons contre toute attaque, vous congédierons la prépucision, la congénitale appropriation, soclé du savoir où nous aspirons, vous rendrons reflet de vos frères cons et le souvenir de mémé polaire formolant la côte de votre pompon-

mère soleils lave bouchons gouffre doux. Morts couchés toiles sacs tête sud avec bouche et cuisses. Yeux pieds mains d'oreilles coulisses. Poudre riz coulant fleuve chute ride à bout pinceau hors tabous. Souffle taureau pensée veau voix vache poisson des deux rives. Veines cheveux jaune vert rouge blanc bleu du dérive. Satyamti côte à côte mémé fiston latent jouissant dans fraîchie maman couple immature. Lui bandant raide sans éjaculer ce qu'elle aime, comme ça pas d'inceste, respect des coutures. Plus tard, quand il jute, c'est son drame à elle qu'il puisse filer aux extrémités, dégrafer petit neunœil deux liquides. Elle essayant en vain de le contenir, lui proposant mâle pour qu'il reste luilui avec vide. Et de lui rappeler l'épisode miel en matins, lui alors petit monstre avalant non-dits blonde ou brune lingerie dimanche et pipis. Ahmi yad ahmi o l'orivagine éclats huile odeurs satiné, ravi! Saribamapa et mapadhani, ça sent la tonique, la guette magique, la quinte extatique en auto-circuits. Je t'appelle, mère, avec tous tes noms, au-delà bergère dans ta gaine à sphère, ce qui passe en toi c'est le flot bêta, l'alpha d'homméga en cornée de son, m'entends-tu maman libidon-chimère, me sens-tu collant sur tes seins beurrant, dans ton parfumant d'engorgé croupière... Lèvres miel butinées guêpière. Queue ciseau sirénée flottant. Prends ton grand qui naît par la sous-crinière, laisse-le téter son nomnœuf dormant, lèche-lui la pomme à demi-serpent, fais de lui ta somme en montrant l'adam-

airya! airya! airya! airya! Feu brûle en tête et ne finit pas. Irrade à hauteur d'abîme, toujours deux montant chutant tourbillon falaise de l'acteur tympan. Cloute atmosphère et ça rime! Cunnéimord en mésopotame! Mimé d'âme! Foutrant! L'acteur reste plouc à mirer son crâne sur la tour silence entourée vautours, il se fait becquer la sanie-misère, les poumons rouillis, la rateuse à four, le floc des viscères, sa nouille et sa crouille, sa bouillie sana, ses lambeaux tibias, bouffé vif à cru dans son bloc-lumière, il se tire de là en crachant son foie. Tu sens ton arôme, ton jus de ténia, lui chuchote homo dans sa langue à rat, tu sens ton plérôme, ta vessie-repas? Ton suc dans l'orbite où tourne la corne, tu te plais raclé et rincé rata? Il ne répond pas. Il n'a plus sa crème et son tiens-toi là, son cerveau rentré est déchiqueté, les zozios s'attardent un peu sur la bite, c'est avec les yeux ce qu'ils aiment mieux, là où c'est vitreux et salé marée, là où ça morgine en soufré vergé... Et bec narines cu frais bec sur pine intestin fouillé bec cervelle gobée bec aisselles nénés bec rebec fond tripaille pour bien nettoyer l'embryon volaille, la charogne à pif de son refoulé. Bec chaux sang ravine. Bec squelette abcès libidine. Il encule écumeux à bave en poussant un cri prodigieux. Tissu base baigné foutre dilué cellules à l'envers de l'enfant hilare. Redragué déchet. Maintenant, mecs, j'attaque plus bas, mon ondulation s'élargit à vide, je suis tout mon cercle séparé de moi. Torche écorché explosé prunelle front flûte. Voltigeant papilles traversant le miel d'autrefois. Taches en clair du mute. Et post-ovipare. Lié non lié du liant lié. Sceau du lien nié. Naviguant manœuvre. Bandante non décadente non œuvre-

zizique de gauche frappant paroi: intense poignant lotus blanc, lent pervers à fleurs mesurant, myrte jasmin compatissant, coloré lascif et mouillant, brûlant coléreux fumant, triste pénétrant, exalté filtrant, passionné rougeant, enflammé parlant printanier toxique fille humide bras sec déployant son vent. Soit: naissance pousse naiscin marin nescience pressée eau en vin lait d'humecte. Zizique effaçant fiel matrices trouillant leurs zoaires protoslutins inessence en moins. Empoissant l'affecte. Je suis le magot, reprend le corbeau, je suis le phénix de ces bois parages, la raison plus farce est mon corps fromage, à quoi bon pourrir, faut mourir à temps. J'en ai rien à foutre de vos mijaurées, de vos bouchencus toujours repincées, de vos sous-minettes nasalisaigries, des minauderies de vos monstruelles, dondons et donzelles toujours à l'abri, cu femelle en mâle et mâle serre velle, emporte-moi marée barre d'argent du fondant! Langue dessous nuit gonflée sous les poumons douches veillant son épée durée durendal soufflolifant à cheval. Tu parles charles barbe fleurie d'arabie décasseur syllabes flots d'arabes nous chargeant persans. Cogne-moi satan, putain d'archevêque, fais couler leur sang sur les prés d'adam, troufignons en rond nos petits troufions, jamais un françois ne sera métèque. Et de défendre ignorance crasse minable bibliothèque! Refoulant l'algèbre! avec voix moutons chants bêlants! Le françi-frança en ranci-rabat font nos femmes pures dès la maternelle. Nous les arrêtâmes à poitiers. De justesse, grâce à nos paniers. Grâce à notre langue éternelle imposée primaire dans sa ritournelle. Bien caleçonnée sous mamadodo, faut pas rabaisser nos mémés chéries, nos fétichéries de vacherie-pis, c'est ça la fierté d'la lolo françouaise, la lililuette et luluvoilette de nos cuistreries. Bloquez l'invasion du martel en tête! Bloquez l'étranger, résistez bretons, vercingétochrist et druidés sacras, c'est pas nous qu'on pète! C'est pas nos papas! On est tous à gauche et surlibéraux, mais quant à mémé là y a plus d'cadeaux, la vergée marie, la marie d'idylle nous soutient merda contre les crouillats! Nous libérerons l'alsace et lorraine, nous prierons toujours nos virgomarraines, nous les hétéros en désir d'homos et nous les homos en mal d'hétéros, c'est nous c'est nous seuls les bourgeois clairés, liberté ta gueule et fraternité, l'ordre est la matrice de notre

famille, chantons nos filsfilles nos graçons chéris, soutenons nos changes, notre banquerie, la biroute sage
de nos pères volages, le sens du pourboire dans l'économie! Mordre! Femmille! Partrie! Ici, flic anar se
racle la rote, il est satisfait, il a bien parlé... Ich!
Bin! Avant, il chassait volontiers le juif, maintenant,
minute, c'est même plus jouissif. L'arabe, le souabe, le
raton courant? Le noir, passe encore, il est sutrin-
glant. Mais les slaves, hm, c'est pas très marrant, et si
on commence à les voir chez soi, à quand les mongols,
à quand les chinois, général des gaules dégueulez-moi
ça, les cocos-parias, les prolos-communes, ces pille-
fortunes qui prendraient nos prunes jusque dans nos
bras et dessous nos draps!

c'est le franc de france et de francité, c'est le franchi-
tecte de l'enfranciré, regard franc devant et trois fois
derrière, mets ton fil à plomb dans ta cartouchière, ton
compas dans l'œil et ton œil dans l'con du centré papa
sous la curetière... À nous culture saucière cathoco-
lique frehnétique en bière, les grands eschrivains bien
châtrés grimés, le mimi racine à cinquante francs et
la mère corneille dans chaque inconscient. Homo tel
qu'il veille dans son féminé ou l'enfemme raide dans
son fond grand-mère, sévignéfreluche et fanfénelon,
et voltairautruche à dix francs courants. La neuneurf
pleïade se vend en salade, on fait les polars et la religion, le porno commence, c'est du bon jambon, pincée
d'héroïne, traductions latines et la science d'humaine
dans son calfeutron! L'édition, mon prote, ça trotte, ça
pond, c'est qu'ils en tripotent tous les profs nouveaux,
l'enssaignant saigné sur ses grands chevaux, l'hysté-
rosouzof du connu réglo! Paraît qu'les françouais se
sont agités, et depuis, macaques, universifiés, gare aux

monopoles, révisos ou pas, c'est pas d'la rigole, ça s'enseigne au pas! Les bourgeois ronchonnent, ces sacrées
cochonnes, mais ça tient le coup, ça s'réforme en tas,
faut des trucs tout neufs, d'la philonalyse, d'la psycho-
saphie, de l'oraculisme et du laquoinisme. Donnez-leur
du marx, du lénine en rond, abstrayez-moi ça, capital-
patron! Y a quand même moyen de se les avoir, les
petits-bourgeois qui voudraient savoir! Défreudez-moi
ça en frimé miroir, ouvrez-leur l'accès à nos subli-
moirs-
je propose en vrac de classer les cracs qui se font
entendre dans le champ socio:
le bourjus catho
le bourjus testant
le bourjuristo
le bourjus clopant
bourjus père en fils
bourjuse à matrice
le bourjus scrupule
le bourjus crapule
bourjusbertinage
bourjusvinsfromages
syndicats bonzos
patronés flicos
cadres collabos
employés zozos
flics à dactylos
députés putains
députés malins
cacadémiciens
flicomédecins
journalozinzins
comité central
espacé cardin
donne-moi la main

à l'humanital
le faschifascho
le fascho fascho
le bourjus droitier
le bourjus centré
tartuffé curé
le petit-bourjus
toujours mal au cu
dans son être-pus
à sous-cu respect
l'anarcho fascho
le social fascho
chauviné franco
réviso bon teint
réviso éteint
réviso gôgôche
réviso tout court
socialo fantoche
socialo mamour
le gaucho d'un jour
et ses petits fours
le gaucho tout scout
réviso à knout
réviso d'église
épistérévise
mologiencrise
réviso sur pine
à fond contre chine
réviso sournois
très antichinois
reviso pépère
réviso mémère
réviso bourjus
réviso françu
réviso couillu

hystéro révise
la belle héloïse
réviso bon dos
embourjus drapeau
réviso louv'teau
réviso maso
réviso sado
fond de flic fascho
enculé à chaud
la ronde des cus
du repu françouze
allez la partouze
aux frais du prolo-

moi l'aspérité, je parle, je parle, mais ça vient d'ailleurs, de tout autrefois, de futur en courbe et retourne-
moi... Tu trembles, carcasse, je sens tes biceps, et tes
sous-triceps, et ton trou porno, dans ta pâle entaille tu
te sens marmot! Tu comprends pourquoi, dans le con
des lois, ça préfère qu'ça baise à tirelarigot pour entretenir l'illusion princeps et le double cycle à double
pédale, reproduire homo ne va pas sans faux. Achtung!
Einbeziehung! Ausstossung! Fort? Da. Wort? Pa. Aus-
sen und innen! Pépère nourrice adoptif moutonnier
boudif. Répresseur manif. Tire-toi, fais gaffe, gare si tu
piaffes, ce qu'on veut de toi c'est ton piège à quoi. Le
surmoi exige que ça te dépense. Et que tu crois moi en
être la panse. Prends l'écart silence. En épingle danse.
Cochonnerie et bistroterie sont les deux mamelles de la
civili. Démocraties où bébé suce bien son pouce tor-
chonné par femelle lui tactant talc petit derrière tout
rosé, hou le bon coco dans son fariné, a-t-il bien roté,
a-t-il bien pissé, a-t-il bien chié en futur pépé? Virago
jouissant dans l'étable avec mignon jézutt entre cuisses

bœuf gros seins à côté scieur tables jojo dèche tirant l'âne en cou. Peut-être qu'il avait une maladie ? Syphiloblennho ? On ne l'a pas dit. Pas du tout. Homme aux rats. Aux loups ! À la moelle ! Au chou ! Ou alors aimant à se menuisier parmi ses copeaux artisan pas fou. Donc, les flics ont pour charge de développer en mesure à la fois l'alcool et le cochonné. Tout ça limité, faut pas déconner. Supposez qu'ces p'tits découvrent le truc, vous imaginez le ravage entier ? Doulce france en train de sauter ? Le susuc passant en circuit fermé ? Aux armes ! Faut propagander viril appel à mémés des continuités ! Aux armes citrouilles ! Bataillons d'andouilles ! Baisez sans arrêt, enfants de matrie, le jour de foutre est arrivé, appuyez votre tyrannie, la menstrue sanglante est passée, retirez-vous dans vos campagnes, mugissez en rageurs soldats, dégorgez vos francées compagnes, allez, allons, alléluia, qu'un sperme pur en flots mamas abreuve l'embryon tata, sésame allez allez allez, marquez vos buts dans la foulée ! Réglés par télépilule ! Empiffrés ! Lovulles ! Debout mes toutous ! Dégourdissez-vous !

les côtes s'éloignent, la brise fraîchit, le cinglé-cinglant se refait plus rive. Force vive venant d'asie. Femmes frémissent temps allongé route aux mille chevilles joug posé comme disaient les vieux au cou de la mer. Matin des non dieux. Cette couronne du rieur, oui, c'est moi, et c'est encore moi qui me la suis foutue sur la tête. Comme ça, mille fêtes. Gisants jade regard bleu sombre dragon sec près de sa muraille. Écailles rizières grue jaune fruit bouche eau courante. Poing fermé rougi révolution et sa pente. Irriguant de nouveau à nouveau. Partout montant sans oublier circulation nervée en cerveau. Aiguilles filet nœuds des classes tournant pieds mains divisant poignets chevilles coupe sans narcose conscience. Entaille à vif rire en montant relance. Points flottants touchés dans leur flotte en même temps montagnes industrie lutte deux lignes, politique au poste de commandement. Nos ennemis tremblent désormais au moindre souffle de vent dans les feuilles. Qui a peur de qui ? Regardez ceux qui nous combattent gueule gênée dans le deuil. Bave à crispe minuscules inutilités sans rien expliquer. Strip-tease de leur répète racornie psyché. Popote de leurs anecdotes. Voulant faire tourner la roue à l'envers ! Allez, vieux réacs, aux vers ! La lutte pour un contenu révolutionnaire s'est révélée être en même temps une lutte pour le renouvellement de la forme. Et contre la norme. Droitiers ultra gauches s'embrassent la métaphysique. Nous matière passant en esprit passant en matière passant en esprit passant en matière et pratique théorie pratique accumulation saut contre tout dodo. À fond l'accélo histoire inconscient massif on a raison de se révolter, merde. En haut comme en bas comme en haut et en bas haut débloque bas détermine interaction nom de nom, merde. Cela dit, je vous laisse trouver ce qu'il faut pour gaffe, comment m'évoquer sous vos épitaphes, ô costume plume de mon prospero, ô claudio sous dalles à dei fiori, toits pagodes passes frontières début d'année pavillon lumière elle s'habille et sent l'air dehors rayons cheveux fleurs instrument joué envoyant pensée maintenant ouvriers fusils partout philosophie dans les masses, je te vois chargée de soir penser comme moi autrement que moi et ouvrant les portes, que l'eau bleue te porte, ne me laisse pas-

NIANT cervelle os en tout temps cosmos, frappe de
plein fouet son éther de vent-

Μοῦσαι γάρ μ' ἐδίδαξαν ἀθέσφατον ὕμνον ἀείδειν

tu te lèves, adam, mange ton serpent, rien ne reste ici
des prohibitures, chérubin polymorphe retrouvé buis-
son au désert. Ni homo d'huma, ni arbre ni voix, petit
théâtre discret marmiture. Tronc ceinture murmure
ailé vieux feuillevices ici de service : ding! Circuit witz
filet cervelet! Schub dans coulée! Zwang! Chanteur
fracturant sa pucelle-oreille. Trieb! Spaltung des mer-
veilles. Atta, abba, taratatata lamasbachtani ô anna-
tata! Agni! Azata! Sawa!
ici l'opéré en sous-fils fellé, nourrisson filié et macca-
roné, le mariolle entré par oubli nié, le vivra-verrat du
vagué kûma qui vous parle encore dans son charabia,
poursuit sa sortie hors lignée polyphémisée endocrine.
Nœud pépère retardant marine. Même kyste à pépé
sous cordons lovés. Bourjus œdipeux soucieux. Petit
bourjus dans sa queue. Intellect cadré carte tarte visites
santé perforé fiché. Paparti! Sacré! Sujet membre se
voulant membré. Dans maison de verre! Tous unis

dans supers décadanse avec prolo oublié dans infras rituellement évoqué pour mémoire recevant colis bon noël. Et lui vivant différence bord nouveau transe de sa flamme en vie. Sans nom! Sans nom! Sans nom! Rideau rouge à bas mécanisme et métaphysique sur place se faisant parachuter son ronron. Et lui continuant route et pluie lointain à rejoindre foresta spessa e viva vert montant macéré mémoire bronze jade blanc galeries et brouillard verdi dans ses allées sons. Phares traversant visages bavures. Insulté par flics verbeux sous rature. Le prolétariat mondial défend fermement la dialectique matérialiste attaquée partout. C'est son arme contradiction pratique souple effilée qui dure. Bourgeois diversement illustrés jusqu'à révisos diplômés peuvent pas supporter ça en flexible, ça les rend glouglous. Questions doutes abcès rongeant foie viscères vieilleries butées séculaires monde pour eux immobile soulevé abaissé en fesses par évolution. Augmentation répétition diminution sans la cause interne voilà ce que comprend le bourjus en con. Essayant de piquer prolo en morphine avec appareils comme-çi ou comme-ça. Lui refilant soi-disant populisme prolétarien pour rire avec noyau alchimique enrobé par soidisant matérialisme à papa. La matière, c'est ça! dit-il en lui tapotant l'épaule tout en augmentant les cadences. Crois ce que tu vois. Si tu t'dialectises, on sera en crise. Et, ajoute bourjus, nous ne pourrons plus dominer tranquilles savoir diplomatie capital connaissance mon œil et gaga! Et ainsi de suite. Méthode trouvant malgré tout application directe où il faut. Et têtes plus à l'est huit cent millions montant au cerveau. Et nous déposés plus loin décalés salut au passant des chemins coupés. Avançons avance dans l'envers acide, e dei remi faccemm'ala, ne t'arrête pas décentré rapide aiguisé. Flèche derrière posture et ordures trogne ancienne démantibulée furibonde dégorgeant caca. O I shall be made thy music I joy that in these straits! Whoât? You must pay first, boy! Cash! Sex! Ça se laisse pas tripoter comme ça! Urigine unicellule puis métazoaire provertébré et poisson larvaire amphibie roulé puis reptile à pattes un peu mammifère. Primate ovule à soi cytontophéno et spermère. Prends-la, ton histoire, ne leur laisse pas! Là où y a des gènes y aura pas d'plaisir, les branchies, les ouïes, c'est pour ta poussière, le pompage à cœur te remet sexy, prends ta glande à mort, ta côte de porc, l'argileux thorax, la poitrine wax, debout sur orteil, debout sur sommeil, politiquement c'est tout à refaire. Avance, mon pote, avance et patience, to be not tobie, sois séco-poli-

femelle gloutre globes sous graines du caviar non-dit. Lui rince court-circuit de l'impulse à dit. Old country! Forces nouvelles? Ici faibles. Allô? L'an 2000? Ouioui. Quoi de neuf? Qui l'eût cru, ces révisionnistes! Y avait des symptômes... Vous étiez inscrit au parti? Oui, et vous? Non. C'est vrai, deux erreurs à pas faire : 1) s'inscrire au parti 2) en sortir. Et le coup des réconciliations posthumes? Extra! Surréel! Couple new-look joseph moustache et léon barbiche! La joie de ces dames! Le refoulé des cercueils! Deux fusionnent en un! Un coup de piolet si vite effacé! Et, comment l'appelait-on, khrouchtchev? Mort dans indifférence massive! Propagandiste inlassable du marxisme-léninisme! C'est pas vrai? Si! Dixit pcf! Extra! Extra! Les chinois? Logiques! Mao? Ad hoc! Ping-pong! Occultisme? en déroute! Dollar? branlé! Flics affolés! Réviso du temps? Pétant d'espoir! Empiriste à mort! Jour le jour! Légal! Popoète en tête, folle de minets! Universitaires béats extasiés! Révolutionnaires? Obstinés! Hagards! Pour

l'honneur! L'inconscient? Troublé! Freudisme? Secoué sec! Les sciences? En progrès, comme toujours exploitées petits micmacs politiques colmatage dans la crise idée! Vatican? Racoleur casanova bourré pilules synodes diverses infiltrations bancaires. Lune? Cailloux pas traces âmes de morts antiquité pour poubelle. Écrivains? Trouillards à la pelle symbolisme maniéré mots croisés petites annonces phrase languide fadasse pincée cu de poule. Profs? Révisos sur place ravagés gâteux sous matraques tristes chaires petites culottes non studieuses les suivant de loin. Femmes? En rut se groupant radics pour finir avec mâle farfouilleux piteux déchu paternité sous comique. Mâles perdant amorce traditionnelle infini, femelles prenant strict en mains petit sac fini. Glas du bourdon dans nos mondes! Sodome? Sature! Gomorrhe? Complet! Piquouzes? À la chaîne! Partouzes? Tri quotidiennes! Télégâtouzes! Fin de la bande... Sinsinsinning since the night of time and each and all of their branches making and shaking twisty hands all over again in their new world through the germination of its gemination from ond's outset till odd's end. And encircle him circuly. Evovae! Babol! Help, mammuses! Pommève! Order is othered! Un trou chasse l'autre! Monticul! Pégase dans la tradition! Manque la langue. Manque la terrine en langue. C'est pourquoi plusieurs. Voilà. C'est. Gangrène cancer et tropiquécoule. Ô fleuve sur fleuves. Saumons. L'abîme appelle l'abîme. Je t'interne. Tu m'externes. Ils se mettent en berne. Il étouffe en derme. En fantasthme ferme. Mes moires. Nos moires. Prix mères et à boire. Second père en noir. Nombrillant. Bas t'aime. Le bas blesse et t'aime. Immergé en lait. Mère lumine! Tour à fond d'y voir. Mal appris. Mâle en pis. Chacun clôt fente misère ouvre-moi jambes que je surge en creux dans ton monte à cieux-

un se divise en deux cassant l'androgyne. Et eux, drôle de gueule avec plat vagine. Projetant sur lui leur blabla. Hégélien! hégélien! lui crie petit nietzschéen tout gris de service concubin mécaniste bureaucrate cadre supérieur avec sensations d'état. Hégélien! hegélien! reprend écho sur fond mère poule irrité coco haletant saurien du dodogme gardien conceptuaille pensée rationalisme moderne avec coupe-file règne science lumière veilleuse du prolétariat spinozant l'éthique en babas. Voulant dire en réalité : à bas lutte procès contradiction et mao vive europe petite monnaie de savoir balançoire idéologique normalisée sans sujet. Chacun dans son kant à soi réel d'un côté connaissance de l'autre lobe droit ignorant lobe gauche et inversement passe-moi l'éponge. Histoire universelle aux chiottes petite carrière assurée dans bifteck professant tuteur et parti de l'ordre. Deux en un bleu blanc rouge et rouge comme si. Et sans en démordre. Vachement à tordre. Traitant donc l'hegel chien crevé au lieu d'y regarder de plus près cosi. Ou d'y chanter comme moi en ceci. Refoulant, eux, vraie tête redressée fruit rationnel replanté d'attaque par karl et friedrich purs génies ceux-là avec vladimir fouillant cru tout ça pas profs pour deux sous et tenant le coup. Puis défigurés par joseph et léon. Puis reprenant droits chinois orient rouge mobilisation masses lutte classes mondiale hors du rond. Tout très pratique et souple rien à voir avec idée absolue qui les tient encore jusqu'au cu. Antérieurs dans le postérieur. Démodés pérorant qui puent. Sombres farceurs. Et lui de nouveau militant base pulsionnelle. Pourchassant pseudos certitudes rengorgées syntaxe primaire petites idées piquées à droite et à gauche quasi aphasiques cervelle majorité en plongée. Et eux de plus en plus morgue dans leur frigo morgue. Se vivant triangle avec carré de l'hypothénuse égale si je ne m'abuse à la somme des carrés des deux autres côtés. Prêts à passer à exploitation grande échelle cadavres naphtaline œuvres complètes avec mausolée. Sournoise veuve aufhebung larvée. Or tout cela est vivant appliqué. On pourrait dire aussi, avance en hésitant herr professor, que la terminologie et le langage hégélien en général sont pleins de calembours plus ou moins bien réussis si l'on ne craignait de pécher par l'irrespect. Pécheurs retombant donc dans bassines matriarcat mecs changés en poupoules chats surveillés par mère supérieure avec bâton circulation d'entre-cuisses, mémé à tuyau et fiflic maman, par ici petit gonfle-toi viril, fais-voir ton beau torse, ta musculatrille, viens mon gros câlin, donne ton glandin! Tous dans la matrice en marée motrice! Tiédi tripouillis, viens, viens mon mamâle, j'aime tes copains, mets-les sous ma main, donne-moi ton foutre et ton fric radin que j'inscrive ça dans le pense-bien! Tiens, voilà le cu, on y fait un tour? Ça saigne, ça bout en hémorroïdes, ça languille à vide dans l'étron trop court, et le poum thorax et l'entre-coupe-côtes, le gosier râlourd, les narines rouges, le sternum qui bouge, le naseau babour?

(il se tâte)

c'est qu'ça disparaît sans me dire un mot,

c'te graisse à bobo!

To bite? Faust pas! Mephistolenfesses!

(entre mademoiselle good night, fille de madame gute nacht et de monsieur buona notte)

ciel! mon hourramari!

lui: hue crocotte! etc… etc…

nous avions pourtant, se rappelle dieu en cachette, recommandé à nos deux chéris de se branler tranquillement chacun dans son coin en cadence et surtout sans bouffer l'produit. Hélas, hélas, la petite a voulu un zenfant, c'est mon machin chose sous ma robe gaze, mon côté déphasé et sous-pourléchant qui lui a soufflé ce commandement... Hélas, hélas, vilain serpent, tu connais pour rien mon fruité pépin ! J'aime pas tes pratiques, sacré bande à rien ! Tes pratiques tics dans ta cynifiente ! Les voilà chassés de mon beau jardin. Messieurs, reprend le professeur jacob strauss, je suis inquiet, je l'avoue, de la façon dont évolue notre mise en place des mythes. Notre laboratoire d'animosité sociale connaît de sérieuses difficultés. De même que nos usines d'anthropophagie structurale. Nos dividendes, cette année, devront être réduits par new york. Je n'ai à vous offrir pour l'avenir que du sang et des larmes. Même le figaro ne nous soutient plus qu'à moitié. Je suis un homme nu et inquiet. L'ombrageuse vérité dont je me suis fait, comme vous le savez, le porteur, semble réellement marquée par la crise du dollar comme par l'invraisemblable montée de la chine sur la scène internationale. Voulez-vous me dire pourquoi des chinois ? (applaudissements). Vous connaissez ma méfiance de toujours pour l'asie, ma prédilection pour les indiens d'amérique. J'ai marché avec eux, je mourrai avec eux (applaudissements). Notre science doit rester la science. Bien que nous ayons solidement progressé dans son ombrageuse vérité, celle-ci ne peut que prendre ombrage de certains nouveaux ombreux éclairages. Vous me comprenez (approbations). J'ai sollicité ici le témoignage du professeur levibsohn, la linguistique, comme vous le savez, en personne, il veut bien moduler ici en exclusivité, pour vous, le triangle vocalique comme le triangle consonantique. Témoignage aussi du docteur flacon dont certains parmi vous ont pu par moments regretter les extravagances, mais qui est à nos côtés aujourd'hui dans une heure particulièrement grave; le docteur flacon, c'est-à-dire l'inconscient sans personne, la vérité sur parole, à l'exception desquels, n'est-ce pas, chers confrères, à quoi bon l'ivresse? (rires polis). Les voix: des crédits! des crédits!

et le verbe s'est fait chair savoureuse saucisse. Sein vase graal recherché désormais par cuisse de mouche répétant comment t'es venu au monde chouchou? C'est ça qui t'fascine, hein, gros minou? Et de défendre spécificité terre promise de petit sac muscle cavité paroi d'embryon utérus ovaires avec sens des impôts soft machine le tout solemnis. Tache lait œuf en neige abran las puertas exterioridades al discurso el discurso a las verdades. Vision joyeuse ou sinistre selon prédominance interdit histoires de bonnes femmes à la carl gustav nous traitant tous a priori de schizos en caressant son beau mandala maniaco. Triste becquette mise à la place de jimmie fleuri enterrant son partout hors langue sous mur de lamentations bibliques barda terreurs de bébé dans le noir se demandant sans fin comment c'est érocité limitée à cu de cheval répété pour nos belles. L'existence sociale des hommes détermine leurs censures. Mystique cependant régulièrement écaillée par solution pratique à mesure. Servant objectivement prolétariat conception du monde liée à écrasement terreurs marionnettes bidets à curés. Sévère discussion sur matrice comme unité divisée. Elles prétendant incommunicable mystère enfantage réservé en couic. Eux prétendant incommunicable couac couac du coupage à pouic. Les deux formant crochet dépêchant macmic. Et de se renvoyer balle s'accusant l'un l'autre de n'être pas l'entier du problème. C'est pour ça

qu'ils sèment! Elles mâchoires plutôt fermées hémisphères magdebourg lappements dedans hermétiques.
Eux se tirant plutôt fil par gosier larynx nichon canne à
pêche pénis père avalé coton effilé fibrique. Hameçon!
Goisson! Oral ingéré pris séchoir entier avec tringles
monté sur pattes bandes velpeau sous la peau hystère
faisant dégorger l'énigme de mémère frigide. Audible
dans sa voix rigide. Eux ravagés par résistance de mémé
dans le tromboné. Beaucoup tronçonnés dès bébé sous
presse. Écrasés sous fesses. Et d'un côté matrobobonnes
pouf soupière experte coup de langue avale, de l'autre
éternelle fillette refusant fébrile ingestion du râle révul-
sée a priori crachant vérité dégueule. Intérieure exté-
rieure queue bite ni l'un ni l'autre installée toute seule
barre boudin en l'air. Rêvant son érecte. Comme ça
se détecte. Sujet couché zoom sur le pont du songeur
navire avec mât dressé perçant poche. Du cerveau
cinoche. Sein taxe frimulé d'embouche restitué part en
part. Elles billes aveugles, eux flûtés pleins d'écarts.
Dépression appel dans la baie ouverte roulement
d'unique colonne mercure et tonsure à part. Morvie!
Biosophies! Il y a donc lieu, dit-il, de séparer temps
opaque de temps plus léger et aussi de temps qui paraît
à la verticale temps non temps masque temps, zamân,
zamân, zamân altaf! 'olam! Pas commode au milieu
des trognes, marre-toi quoi, c'est pas tragédie. Quand
tu parles sexe, rince-toi la bouche, si tu le rencontres,
tue-le moi bouddha. Write it! Write it all down! Et pas
trop d'manières sur langage qui arriverait pas douleurs
procréation et le reste jouant l'impuissant pour se faire
pardonner jouissant. Houm! Le temps fraîchit. Océa-
nement me surplombe. Langue spiralée sous tissus
cordons des générations. Fracas des fracas ma plage
horizon. Air cochon salé, avale ton plomb. Ralbloum!
Salut vieil errant! À quoi bon des poètes en temps de

détresse? Weh, närrisch machen sie mich! Pourquoi se priver? Un peu de haine en plus, pas négligeable! Sous les crachats, la paix! Abandonnant bel écrit fading sujet complément et salé servi pour tâter musique aujourd'hui. Crassée! Percutée!

spihr!

bruissement vibre aile en chaîne côté moyen-orient tassement résumé combats. Résistance populaire impérialisme empêtré social-impérialisme enlisé cause juste vaincra. Al-tâmmah al-kobrâ! Efforts soutenus à faire pour propager l'athéisme. Implanter matérialisme historique et dialectique n'est pas du nougat. Concret, pas scolaire, massif! Explications détaillées, profil net lutte des classes, manifs! Et toi? Efface tes traces, entraîne ta face, et merde au passé qui n'aura été que pour te muscler. Passe, repasse... Lave tes mains, reprends la route qui va où tu sors. Je m'endore. Tu sens mieux? Oui, ça marque. Cellules de l'effoulement, glafeutres, glafeutres. Marmûza! Ram! Et de père en fils et de fils en père et de mère en mère ô mamie-chierie! Elle me bouche sec la foutue barrique! Cerclé, encerclé. Dors plus fort. Voilà. Avale. La fumée sans feu, c'est pas du fumeux! Baille baille!

ramz!

al-bâriq al ilâhi

zenicht!

à pic? Peut-être. Bouge un peu. Ô c'est toi c'est moi c'est nous tous en moi c'est moi tous en nous c'est nous tous en eux c'est moi tous en teux c'est eux tous en meuh c'est tous tous en vœux et c'est lui qui tousse c'est lui en remoi et c'est lui en toi et c'est nous en lui et eux-nous en mui, c'est lui c'est lui-moi c'est luilui-moimoi c'est plus moi du tout c'est eux vous en nous c'est nuit c'est vouluit c'est nounuit c'est cuit c'est trop beaucoup trop pour le mot à mot c'est trois fois trop trop c'est lui c'est pas lui esto!

au dessous de lui c'est encore plus elle, au dessus de
lui c'est vraiment sur-elle c'est moi lui sans elle et deux
moi c'est elle et c'est encore elle qui me largue appelle
c'est lui avec ailes pour qu'elle m'ouvre en lui-
dhikr!

tout ça est-il étranger aux préoccupations réelles des
masses? Force travail enquête et terrain actif pas seulement médical corps investis d'exploite contre bourgeoisie locale vorace. Compradore mimant l'étranger
manipule. Riposte graduée armée sur deux fronts et
gare à l'encule. Aucune raison abandonner désagréga-
tion des supers. Sans quoi marche un jour ou l'autre à
l'envers. Boulot très utile. D'ailleurs varié différences
de styles. Aucune raison de cacher, par exemple, que
médème homo en a vraiment marre du señor huma.
Tant va l'huma d'homo qu'à la fin elle se fâche. Application! Médème homo, montrez-leur clito!

(elle le montre)

premier communiant: non pas ça!
deuxième communiant: cachez ce ça que je ne sais
    trop voir!
première hystère: le mien est plus gros!
deuxième hystère: ad te clamamus maximagugus!
troisième hystère: jamais un homo n'en a eu si beau!
première enceinte: et alors? chez moi l'utérine!
deuxième enceinte: mon bébé sous moi prêche pro
    domo!
homo: mon anus se serre en pensant à mère!
troisième enceinte: vaginuthéro je veux la queue gros,
    l'étui qui reluit, la pilule aqreuse, le frœtous mou-
    mousse, le craâne sanguin, la dilate à crin!
premier communiant: déjà dit! vieux monde!

deuxième communiant : solution ?

première hystère : dans tout l'à peu près du dernier calcul, quand tout se recule et se brouillannule, le clito existe dans la solution ! La petite dent, cochonne, devant !

deuxième hystère : c'est l'extase à crise, la bonne incisive, pépé des excises, la motte en ronron, le transfert-bidon !

troisième hystère : imposons clito par-dessus homo ! qu'il nous soit fidèle, qu'il adore l'elle, qu'il soit pèraimant et tout dévouant, qu'il jute en l'honneur de notre graisseur à la gloire de père et de surmémère, ad te clamamus o clitodeus !

première enceinte : on bat un enfant !

deuxième enceinte : luttons pour mystère de vie, jusqu'à mort !

première hystère : clito bouffera clio ! Hystère contre histoire !

deuxième hystère : nous t'aurons aux tripes chien d'humahomo !

homo (à part lui) : oui, oui, vas-y, ça vient, ne t'arrête !

première hystère : le bordel partout ! le clito en tout ! Homo, promettez-nous l'enchaîné !

homo : oui ! non ! surtout ! pas !

premier communiant : maman !

maman ! vive le clhystère !

deuxième communiant : papa !

papa : demande à maman !

maman : tu vois, vous êtes foutus mes dodus !

première hystère : papa me fera le bébé en soi que maman me doit puisqu'elle m'a fait moi. Homo ! fais-le moi et passe en cuisine, tu sera mémé comme à l'oripine, cu de cu en cu, vive l'humané !

deuxième hystère : le parti se doit d'approuver notre position. Or en vérité, en vérité, je vous le dis

76

racine a peint le parti tel qu'il est, corneille tel qu'il devrait être.

première hystère : le parti nous sera acquis, nous y entrons par centaines.

deuxième hystère : mes zenfants prouvent que j'ai raison. Trois du même gland, et pas une ride ! Je vote clito, utéro-clito.

première hystère : perverse !

troisième hystère : allumeuse ! centriste !

deuxième hystère : impossible de m'en passer. Au pas. Militaire. Schloum ! Du vent !

première hystère : les pédés ?

deuxième hystère : avec nous, c'est nous, pas d'histoires.

première hystère : l'ennemi principal ?

troisième hystère : vous le connaissez. L'innommable. L'innombrable. L'éternel infâminin. L'éternel émasculin. Celui qui ose dire avoir dépassé le machin. Tu parles !

première hystère : je voudrais voir ça, un mec qui s'en fout ! Tous libidineux, c'est écrit aux cieux !

deuxième hystère (rêveuse) : pépé serait content s'il pouvait me voir !

première hystère : elle est née la divine afemme ! Viens sur moi ô moi trop souvent niée ! Ô seulenmoimoi ! Ô bourgeonnamoi ! castrature du cercle en mamadora !

homo : das unzulängliche
hier wierd's ereignis

baise-moi, baise-moi, chuchote maintenant la femme du virtuel immortel, baise-moi kiktusois mon riquet houppé, embraisemoimoi, bouse-moi les fesses, j'en suis ténébreuse et toute vitreuse, à moi le spasmé de l'enténébré, j'en ai ralbout de son surplombout, baise-moi chéri, vole ! au lit ! Parle-moi direct en métajoli ! J'en ai plein le cu de son zob artiste, je veux mon image en frôlant-frôlie... Saquons sa folie ! Aime-moi en veuve ! Montre-moi hommeuve ! Monte-moi sur lui, cueille-lui le cu de son mot jailli et roffre moi tout dans ta culottière, vas-y mon velu, pique lui son cri !

lui continuant à tourner mixture diabolissimus pour cervelles timides centrées. Points limites salves achille tortue flèches dans la brocéliande. Bougera ? Bougera pas ? Début de légende. Et nappe trouée. Selon le tiercé. Elles sont là marmites boue d'orage et bruyère le laid est beau le beau laid tonnerre d'un autre âge allons faire tour monde dans la brume immonde. Salut ! Salut ! Salut ! Demeurez, oracles imparfaits, dites-m'en davantage ! Ce qui les a enivrés m'a donné l'audace. Ce qui les a éteints est venu m'enflammer. Connaître ce que j'ai fait ? Mieux vaudrait ne plus me connaître moi-même ! Rude nuit, j'en serai tout blême. De telles choses peuvent-elles arriver et passer sur nos têtes comme un nuage d'été ? Oui, et sous la fumée. Contrairement à la tradition millénaire de la philosophie, dixit professor, il pense déchiré non en substantifs mais en verbes. Ce qui explique accélération turbo-réacteurs continu puissance avec rappel des anciens dormeurs forêts enchantées ronds dans l'herbe. Ordinateur laminant l'influx carburant sonné. Cheveux ongles poussée de dos barbe nuit rongement des os que pense moelle enfumée névrose foie cœur momie main à travers prose fourreau cuir et cervelle cire de l'oreillécho ? Il se cache en eau. Dégaine, petit, sors-toi du cloaque, sors ton miroir claque, ta lentille à crache, défais les attaches, pousse à fond ta peau-
das Unbeschreibliche
hier wird's getan

(hello man ? Ça vient la délivre ? La sortie des livres et du fou repas ? L'historié t'attend, c'est complet dedans... Où est-on ici ? Spasmorama ronronnant, couci-couça et longueur d'attente. Petit pays grande tradition mondiale commune passée actuel funèbre ! Liberté ? Chérie ! Seule algèbre ! En gros malgré tout vasouille restreinte contrée vanité pincée et eux résistants pérorent au lieu de pousser critiques. Se croyant déjà dirigeants insurrection oubliant sa problématique. Sacrés françouais. Très coquets. Xénos, sûrs xénos, sur-hexaxénos et perrococos. Coûts classicos, hypers ! Culture ? Bourjuse, cent pour cent ! Éducation ? Nationale ! Flics ? En tas, sous les lits ! Province ? Mastodonte ! Tout le poids ! Vieille histoire... Notionnel bornage engraissé catho, avec sacristain moderne radical social tremblotant reflet des lumières savoir non encyclopédique en désordre avec renfort intégration sociaux-chauvins à gros rouge devenu rosé parlant fort occupés à sauver image marque de mémé grande urse de plus en plus démasquée psychiatre fouettarde dans ses avatars combine anti-chine et orient bizarre dérangeant à peine furieuse sieste ronflement roublards. Mécanicité générale gourmands révolutionnaires à dessert sourd cocorico implicite antisémitisme tempéré jovial jusqu'à brusque rage paysanne auvergnate afflux merdeux cous bas coqs en pâte. Potinerie poulailler délirant avec ponte quotidienne bouffe et cu d'abord défense à mort enseignement minimal péteux souvenir pépé d'économe. Anticléricalisme à soutane échanges pisseux trucs de campagne élections stabilisant pour la gomme. Peuple archaïque sans âge, sursaut demain surprenant malin si désir nécessité secouer ses puces volonté lancée ou bien rien)

et donc marche encore, agis et sois là, désembrouille-toi en avant derrière, chaque point-déchiffre est un nerf de joie, un déclic à chaud dénouant cellule,

chaque son nouveau te refait globule... Pschtt canal
divise en étages musicalamage et pinson quoiquoi.
Extrême satyre, tu te plais mouvant ? Tu sautes la loi ?
En passant devant ? Évite, repars, et lâche ton lest, la
substance est rance, tourne-la qui danse, suis ton injec-
tion, ta jectivation dans le sub de l'ob et le tubazob, la
substantiflic de la frication, active, salive, tire-toi les
tifs en vaginatif ! Excite l'étym ! Redescends la mine !
Ça cause, ça plaît, et puis ça recause son alter-effet,
son sursum corda abracadabra. Habemus ad ncutri-
num ! Dominus vopiscus ! Amène... Ouftre ! Wipe your
glosses with what you know. Le cloître, fleurance !
Tout le bleu du bleu dans l'or bleu jardin, colonnes tin-
tées air bleu violoné ! Trop physiques, ils n'arrivent
pas à sauter leur métaphysique. Motus, silésius ! Et in
saecula !

buée des buées ! Et tout est buée ! Marmonnant barbus
langue mitée dans leurs livres. Démoralisés jusqu'aux
fibres. Genre qui accroît son savoir augmente sa dou-
leur les fleuves vont vers la mer et la mer n'est pas
pleine pas d'avantage de l'homme sur l'animal qui
creuse un trou y tombera qui détruit un mur un serpent le mordra et autres conneries insistantes cou-
pables pépé mort fin de l'histoire culte bobornes ombres
superstitieuses déversées partout. Debout ! Debout !
Les gémissements de ce siècle sont beaucoup plus que
des sophismes. La poésie doit être le fleuve pas forcément tranquillisant ni majestueux, mais fertile. Adieu
en connaissance de cause à l'humanité pleurarde, je te
salue à nouveau, glorieux espoir ! Trop longtemps tunnel échafaud tranchées murs pelotons déportations
électrochocs fossoiements caves. Ou divergences de
base. Maintenant nouveaux yeux ruissellement du pour-

quoi. La poésie a la pratique pour vérité et la vérité pour pratique, c'est-à-dire plusieurs buts à la fois. Des roses. Pour moi. Pour toi. Pour eux-vous-nous-moi. Le phénomène cherche, je trouve les lois. Avance. Grand froid. Tous fermés grincés. Ou réendormis. Ou vidés mollis. Non imparfait, non déchu, l'homme n'en reste pas moins un défi mystère. La mysthoire n'est plus ce qu'on a compris. J'annonce à ma manière rhinoféroce un lâcher de ballons fluidé nouvelles palmes gant retourné du récit. Brûlé, enterré, merci. J'en accepte eschyle. Ainsi parle l'aigle en apercevant l'empennage de la flèche qui perce : nous ne succombons, dit-il, qu'à nos propres ailes. Aiai ! Aiai ! Iô ! Chemins salés grottes prairies rivages ! Il met toute chose au monde, mène son néant en lumière, ramène sa naissance au néant. Le surprenant. Le super flottant. Et pan dans le temps ! Le sommeil délie. Sanction. Pneumatique. L'ami devient ennemi, l'ennemi ami. Et tous salamis. Ce n'est pas des dieux que cette loi est venue aux hommes, les petits se sont toujours débrouillés tout seuls, et d'ailleurs ton ordre ne m'est pas apparu d'une telle force qu'il puisse surpasser l'ordre non écrit, car enfin ce n'est pas d'hier ou d'avant-hier, terne naïf à éternité fantasme pété de grossesse, qu'il demeure vit et devient nul ne sait comment. Il a un œil en trop, dit-on. Trois, si l'on s'y arrête. Ou bien quatre. Ou six. Et très mâle au pied. Et très abîmé. Et très chevillé. Et sinistre à souhait. Quel est le mec qui, de chaque félicité, ne saisit que l'apparence et qui, à peine dans la clarté de sa lampe laser, ne commence à décliner ? C'est dit. Ils l'appellent. Tu nous freines, glandeur ! J'embrasse le vent, je le bouche, je le saisis à l'odeur. Mon œil, disent-ils. Les odieux. Les attrape-vicieux. Étrons entassés gazeux. Et merdieux. Le mâle est en élohim. La matière respire son anti-matière qui elle-même implique son antématière dans la pro-matière de sa substantia. Faites-moi plaisir, ne repoussez pas l'incrédulité. Pas tout à fait. Non sans avoir poussé votre crédulité à son comble. C'est-à-dire pour la délier. Les religions colmatent le doute, le doute colmate les religions. La contradiction est notre passion. On sait ce que sont la terre, les cieux. Qui leur jetterait la première pierre ? Les écrivains de ce siècle... Dangereux loustics. La fin du vingtième verra son poète. Né aux bords d'eaux boueuses ayant surveillé l'embarquement du précédent et le débarquement du suivant, la montée schizo du précédent du précédent et reflété la barbe fleurie et plus d'un passant. Quelques moralistes. Valent mieux que plusieurs. Primera la chaleur de la maxime ! Debout ! Debout ! Circumnavigadambule ! Je prends l'autobulle. C'est mon droit. Près de l'opéra. Les sarcophages du louvre savent mieux que moi pourquoi la colonne vendôme est plus fondamentalement molle que l'obélisque de la concorde. Simple constatation. Qui n'est pas dépourvue, malgré l'énorme que j'en aperçois, d'une volupté infime. La poésie doit être faite par un qui soit tous. Non par tous qui se croiraient un. Arrangez-vous. Allez-y voir vous-mêmes si vous tenez à me croire. Moi, je n'y tiens pas. Comme si les vagues ne valaient pas l'obscurité à propos de points ! Puisque mes amis sont morts, je peux parler en étant le mort. J'arrache des beautés inouïes jusque dans le sein de la vie. Si vous êtes malheureux, vous pouvez le dire au lecteur pour qu'il se moque de lui, de vous, de sa lecture. Jamais l'eau de mer n'a rencontré une tache de sang intellectuelle. La première subsiste dans notre sang. La seconde n'existe pas. Ne me parlez pas de la maternité. Pas trop, du moins. Pas exagérément. Pas à chaque instant. Des roses pour les vieillards ! Des lavabos neufs ! De nouveaux produits dans notre chimie !

Avance, avance, je ne distingue pas ton usine. Ton éclat machine. Exclamasuccion! Allabiboron! Ruches! Nunuches! Du haut de ces pyramides quarante siècles vous retardent. Ta voix, cependant, ne m'est pas inconnue. Mais le connu, en cela même qu'il est connu, n'est pas connu. Mets-toi donc en garde. Le roman n'est pas un genre, il n'est donc ni plutôt vrai, ni plutôt faux. S'il faut choisir, je le trouve vrai. Avec moi, s'entend. Je préfère mille fois lire dante que déchiqueter la cervelle d'un jaguar. Je me vante. L'homme n'a jamais été un roseau pensant. Si le roseau avait pensé, cléopâtre aurait eu le nez qu'elle croyait avoir. Rien n'est jamais assez dit. Tout ne peut pas être non-dit. Chaque chose n'a pas à demander l'heure. Ni la mouche ni l'homme ne peuvent plus étouffer le bourdonnement massif de notre raison. Je ne chante pas la poésie, je n'essaye pas de découvrir sa source, je ne console pas l'humanité, je ne la traite ni en malade ni en frère, je suis en elle et elle est en moi comme un poisson dans l'eau. C'est plus vrai.

Debout! Debout! Dans l'encreville et la pierracier. Eux débordés. Emportés rongés. Très pincés vagés. À vif et rangés. Stéréotypés. Immatriculés. Et encapsulés. Et tout enscellés. Et phobilisés. Et vampérisés. J'ai vieilli. J'ai dormi, rêvé et grandi. Avec le en face. Palpitant ma face. Dans le rougembrasse. Sans le voir savoir. C'était près parfois. Pour eux quelquefois. Pour eux dans l'effroi. En-deçà d'argent. Avec trop d'enfants. Souterrain mémoire et plein plein et plein. Marche pas. Pour le syndicat. D'un pays à l'autre. On ne passe pas. Dans le poids du poids. Damnés sous leur terre. Une flamme là. Beaucoup trop abstrait. Et eux fatigués. Et moi fatigué. Et nous fatigués, fatigués, fatigués. Achetez en rond. Dépensez vos ronds. Économisez pour dévaluer dans le cadencé. Mon premier mon second mon tout mes parties sans tout. Ils parlent sans parler tout en étant sans parler parlés. Et parlent quand même! Et redisent le jamais redit et regardécoutent le grand publici. Avec boulons pièces détachées chasseurs emballage cantine vestiaire douches presse purée du grevant raclé. Tu es loin. Tu n'est pas si loin que, mais quand même. La chine est loin. Nous sommes loin pour la chine. Mais non pas si loin qu'ils le disent sombres crapules pelletées de boue sur grand courant ramunifiant l'expérience affluant sans fin. En effet quelque chose a tressailli sous ma main. Siècles en siècles et pour d'autres siècles. Shan shuei! Chiang shan! Hua niao! Tambours et drapeaux. Rends-moi justice toi l'œil ouvert de nouveau tissu érectile champ plus grand autres dates bois-moi dans le crâne sors-moi du tombeau. Dis-leur comment poison dans l'oreille durant mon sommeil pour avoir soulevé sparadrap pourriture en mots. Le reste n'est jamais silence. Et j'aime ta chance. Pas comme eux croyant toujours que ça pense au lit aux abords du lit en lisant au lit. Apprenant ça ferme à progéniture programmée en vie. Tout comme eux, tout comme eux dans le comateux. Voulant le comme eux. Papamaman et pamanpama et mapapanma et mamanpapa. Dévide-moi ça! Ce qui veut chanter doit d'abord sombrer. Zugrunde gehen! Fini absorbé par le transparé. Quand je suis entré, il s'est mis à trembler. Puer aeternus. À éternuer. Moi, par hasard, animal courant sous les siècles. C'est quelque chose, m'a-t-il dit, qui, dressé, nous brise. J'approche cataracte ma crise. Sale moineau. Je t'ai tiré les oneilles. J'aime les enfants. Me foutent la paix. M'écoutent. Je m'étonne encore. Et déconne. Note-bien, je ne t'ai jamais appelé mon fils. Sens des proportions. Ta mère est mignonne. Une goutte, et hop te voilà. En gros, connerie. Mangeur mangé toujours démangé. Vorateur dévorant voré. Le celui n'est pas. S'il était, connard. Mais il n'est pas. Ta mère veut qu'il soit pour son bon rata. Elle aimait son père. Ou plutôt sa mère en train de s'aimer dans sa mère à père et etcoetera dans l'accéléra. La chaîchaîne, quoi. Je n'ai pas su. Pas de pleurs je meurs et tumeur. Serre-moi. Anondieu. Veines battant peur suant vitreux salsifieux derrière sa vivitre. Blessé première guerre mondiale cassé seconde usifumée matin soir un peu de plaisir l'opéra les voix. J'ai appris l'arabe. On croyait passer. Par le débouché. C'est quelque chose qui te fixe en fixe et transfixe. Ne ferme jamais les yeux, sacré vieux. Tu sais qu'on a trop tué en définitive et tué tué tué et tué ? Salut, laisse-moi crever. Anondieu, tu verras l'effet. Anondieu ! Au feu !

cendrant sa naissance coït frais comme un électron avant après légère déformation des contours. Sous son cœur battant j'écoute mon tour. Fouillis pour long-temps ! Tendu précis sans laisser tragédie se refaire lyrique shlick logique nouvelle raison du moment. Away ! Away ! À bas leurs clichés. Reproductionnés. Leur recueil à crème barbouillant surbeurre dans le tartiné. Away ! Away ! Assez de salades mythologies à la gomme cosmoragots abstraits clins d'œil farfouillés. Il m'aime, dit la bourgeoise repère, or je ne suis rien. Donc c'est un con. Ça donne le ton. Or moi je fais ce que je peux à travers mes hydrocarbures. Et d'offrir ainsi à l'entourage petites compensations en ordures. Gnagnas pleurnichant conasse minaudière moimoi dupont tout est bon. Il la coince pourtant petite culotte mouillée poils tièdes manière équivoque de s'entrer aux chiottes pour éponger tabernacle gougoutte de son mironton. Sournois théorème couvant millénaires. Dans sa pâtoison. Se tressant dondon. Avec sa soupière. Demandant sanction immédiate pour élubertin à mettre hors d'état de luire non sans renifler au passage possible énormité du barbon. Au-delà frigidaire toujours incertain pour elles en ballon. Érection piège à ponts! Et eux d'en faire des montagnes souvenirs d'enfance premières terreurs croyances lanterne magique compte en banque de nos religions. Et de blanchir sans arrêt manège calcul aux frontières. Finissant vieux cons en pondération avec petite voiture aphasique pas toujours visible poussée par infirmières cornettes indéfiniment excitables dans leur nourrisson. Ou alors, changeons ça de base. Et aussi de phrase. Transformation politique arrachant racine antique trauma recousu bidon effets d'enluminure tics pornos transmission orale cassant les annales du superétron. Curés enfermés doublement dans leurs cures attention à leur rhabillage profs prudrances cours marché des bourses ratio réaction. Cherchons ça plus loin plus bas plus profond. C'est-à-dire plus léger tournant en surface danse très grand naturel vicieux toujours clarifiable libérant leur audace à vrai dire infinie, qu'elles aient un fusil nom de dieu fini! Je suis pour l'électre foutant hors d'eux crasseux grand pères des grand mères mâles vicelards roteurs à tabac caleçon et femelles grosses fesses maternant la queue en bubon. Son savoir me bouge. Elle m'a rendu rouge. En avant, millions! Vos ennemis écoutent maman lessiveuse bouillon vieux raccommodage folklore. J'aime, moi, entendre mon sang sur vos bords. La pratique sexuelle des hommes détermine leur langage. Sans langage à quoi bon vos morts. Et réciproquement. Pour accord.

Away! Prolétaires de tous les pays, unissez-vous. Ne vous laissez pas faire moumou. Pas de fleurs en mots, de petits cadeaux. Gare au réviso. Vous tous des nations pillées. Vous tous abattus, non encore perçus et pensés. Plus de blanc sommet. Plus de colonies. Plus de racenprix. À l'heure où j'écris, il regarde encore les lacs, les acacias, les rizières. Et lourdes paupières. Ses pupilles ont donc vu le bouleversement de ce siècle mezzo cammin di nostra storia. Propagation de l'éclat. Soleil levant mais pas comme avant. Nuages d'hiver pressés de neige duvet blanc volant. Se jetant à l'eau. Notre ciel étant la masse du peuple celui-ci en peuples se fait transparent. Irrigué montant. Pour encore longtemps mouvement tournant. Au fond quoi je la laisse ma légère ultrace en cataractant? Je plains celui qui ne sent pas ici le bateau craquer sous sa plante. Ce qui vient crève les yeux et s'implante. En souplant les fonds. En passant macro et micro surface avec fond page blanche fleurs printemps nageant fleuve pour marquer le temps. Musicoroulant! Sans plier comment redresser? Le dernier premier. Lou hai. Bords fossés ciselés plaines marais sous brillante écaille. Le un se joue dans l'entaille. Yu hua. Givre éclair violet. Descendons jusqu'à l'absence de terre. Oies sauvages chants condensés dans l'éclat pinceaux algues vive l'unité procès révolution mondiale contre empirisme national chié. Tout ceci se passe de commentaire. Qui parle le sans parole n'a jamais parlé. Comment, oui? Oui à oui. Comment, non oui? Non oui à non oui. Comment, possible? Possible à possible. Comment, non possible? Non possible à non possible. Néant double en dehors d'ombre. Repos vide plein ni plein ni vide ni vide ni plein cible à cible. Et très détendu. Sans regrets connus. Sortir sans racine rentrer sans trou rien de plus moins fou. Sortir sans trou en réel pour rentrer par trou le partout. Mourir arrive à chacun et n'a pas le même sens pour chacun : c'est très enfantin. J'ouvre le combat en attirant l'ennemi par un avantage apparent précipitation amusante de sa part ça ne rate jamais moi lenteur puis rapidité. La propriété privée mène au profit, son absence à la dépense. Dis, pensée-

et tout ça c'est toi. Kes tu veux te signifier pochette surprise le matin éclosion sans bruit hors des quois. Petit-bourgeois s'imagine être prolétariat devenant bourgeois escalier roulant bas en haut si jamais rencontre bourgeois allant vers le bas explosion baveuse dudit pb renversé dénégation redoublée haut bas. Pb touche à tout bas de laine caisse d'épargne placements divers école position instable union petits contre gros simultanément répression prolo. Art de piquer restauration genre limbes en freinant l'écho. Animosité inlassable contre exception éventuelle pb adjudant inné des casernes. Spécialiste du devenir terne. Philosophie humée dans l'aigreur. Étroit regard limité cadrage même arbre même mollet même nuage oubliant grande nature base sociale pointage au milieu des grains. Sans transphère ! Ronchonneur. Sans largeur longueur profondeur hauteur. Sale binette. Sans vérité pour les pieds vernünftig wirklich wirklich vernünftig. Sauvette. Lui après barricade embrasement matraquage gaz seaux d'eau chantant internationale rentre petit matin panthéon chez lui en scrutant sa langue. Long travail perspective depuis couches enterrées sous gangue. Sois mot et tais-toi. Celui qui entend le bouddha ne pas énoncer la loi a bien des raisons de ne pas le dire. C'est pourquoi ils disent qu'il n'y a rien éternellement qu'il n'énonce. Et ainsi s'enfonce. Dans ses plis de ronces. Hue, hue, à dada sur le ch'val de bon papa, il a tant mangé de blé que son nez est tout pelé! Crise du su j'ai dans son insu jet. Un trait ne remplace rien pour personne. Ça va, ça ronronne. Jou-jou. You never made a more freudful mistake, excuse yourself! Maintenant, il se peut que tu voies venir vers toi des fleurs comme des buées. Repousse-les sans partage. Si au contraire formes brillantes en fusion ornées marques et sous-marques laisse courir poursuis tu n'as pas choisi. L'irano revient en-deçà d'indien. Le persan te tient. L'africain s'étire dans son tigre ancien. Salut vieux remonde! Brave new world! And word! Lieu médian brûlant broyant méditant. Ce que je vois d'ici est pour la première et sans doute la dernière fois un saut brillant d'harmonie. Ouioui non saisi. Ô languée couverte toujours réouverte et fendue graineuse en joaillerie et l'oli-baba et le rhum éclat où tous les chemins me mènent, vous mènent! Sésame, ouvre-moi. Couvre-toi de moi. Horribilation de ce muscle en moi. Sous veine. À l'amort. Avec ses trésors. Mamma, è piena la luna! La société dit-il est fondée sur un crime commis en commun. C'est pourquoi ils se reconnaissent au coup d'œil. Près de leur cercueil. Le visage du jeune dieu perse inondé de lumière nous est resté incompréhensible. Honnête, le vieux. Intègre. Pris à la mâchoire et pourtant mordant sous piqué morphine et tout blanc rasant. Négativement. Observant fourmis à la loupe maugréant méfiant. Signor! Signorelli! Signorella! Veut pas voir le cas. Envers trop troublant. Les choses derrières! Aliquis! Liquette! Passion d'étiquette! Sieg victoire mund bouche siele canal ziege biche mund langue lèvres den mund voll nehmen ein wort inner im mund führen den mund halten reinen mund gehalten. Freude! Nul ne peut sauter par-dessus son temps-

Sortons. Tête baissée dans la pluilumine. Et la plura-
mine. Ô l'impétueux ! Droit dans la fournaise. Avec
front de braise. Enragédiablé désormais le mec ! Y avait
plus d'sujet, mais voilà un bec ! Pavlov ! Stakhanov ! Des
deux hémisphères ! Et voilà encore de l'orphesse raconté
récrit dans sa lyre lande par les érinnyes de nos pieux
chichis. Il dort et soulève son dos souple possédé par les
sons. Sur sa tête crochue est répandu un nuage sombre
Il chatouille nos filles aux nattes mauviettes. Sacrée
pine d'art ! Sans fin du bazar ! Ritorno d'ulysse. Le des-
siréné. Le millenrusé. Charmeur massacreur brodeur.
Contre l'ébranleur sous les mots moteurs du grand
assembleur. L'annulyste. Et ballet du même. Et glisso-
vulé dans son beau complet. De omnia omniae. Homme
n'y est. T'ong ! En argot-noté. Discolor unde auri per
ramos aura repulsit. Stant litore puppes. Au large ! Au
large ! Comme une flèche, un veau, illiquide. Clarté,
bruit meurtri. Fille de l'inentravée debout dans sa lave.
Debout, tête à ciel ! Goutte ! Hors croûte ! Redépart du
lisse. Buongiorno giordano ! Guten tag friedrich ! À nous
la transmute, l'éternieretour par le sous détour. C'est
pas tous les jours. Au premier qui mute. Farewell ezra !
Welcome jimmie ! C'est l'aurore monsieur isidore : monsieur prendra bien un café ? Le théorème n'est ni indé-
cent, ni railleur, il n'a pas à proprement parler de
nature, il est seulement précis. Les triangles n'ont pas
de dieu. Ce dernier n'en a pas pour autant trois côtés.
Les premiers, si. Et ça leur suffit. Un œil n'a jamais
regardé dans une tombe. Caïn n'est pas mon cousin. Le
caveau des grands hommes n'est pas le cœur des
vivants. Sans quoi ils mourraient deux fois. Ce n'est pas
le cas. Et plus on embrasse, et plus on étreint ! Pierre
qui roule n'amasse pas mousse : très bien ! Peu importe
que la conclusion morale soit absente, si la dialectique
est là, tout est là. Rira bien qui rira dans l'ombre moins

faisandée que la proie. Un seul être vous manque et tout est repeuplé ! Dix de perdus, vingt de retrouvés ! J'aime le feu sans fumée sec sous les huées. Socrate est mortel à mourir d'ennui. Au commencement était la gerbe. Et l'acerbe. Et le taille-crayon. Et la présomption. Et surtout l'oubli. Paix, mes brebis. Du calme, du calme. Et lui d'entrer dans son fleuve en tendant les bras. Et de haut en bas et de haut en bas. S'y baignant deux fois. Réellement deux, parce qu'il était deux. En biné polaire. Les petits ruisseaux transforment la mer. Si l'univers était nuée nous le connaîtrions par le nez. Rapide sous vide. Eppur si muove ! Veni, vidi, volui.

LA MEMBRANE autour juste avant après. Déchirécisée! Pépie trace! Survolée en masse! D'abord pepepe et encore pepeu beubeu du peuhpeuh appelant rereu errare humanomme saisis cravate insigne autorité déguisée sous tissu d'organe. Ça vous vanne. Lui rajeunissant à l'envers début empâté mimique pesant sur cerveau défile puis passage autre orbite ramenant énergie courante. Contradictions différentes méthodes différentes. Je reviens de loin. Je rejoins le loin. Pas devant derrière globe volume toute vue non vue s'avalant la représente à gogo chiffon d'illusions empêchant le rouge et maintenant paysage vaste à couloirs histoire plage écumée pluie ville soleil fixe scintillation de demain. Futurez vos mains. Mouettes. Entre chien et loup. Griséleuses en tout. Gulls. Gulls. And gulls. Groax, groagk, rgkekgxkg! Manie négative homo voulant immédiat credo au lieu de partir de son propre étau. Au lieu de franchir son passé dingo. De se moucher tôt. Grik! Grik! Fuck greeks! Ont perdu l'oreille. Et manquent la veille. Lui passant d'outre! En passoire à foutre! Émouvant moment. Partout train téléphérique avion auto ou canot. Au restobouffa comme à l'opéra. Ou au cinéma. Écoutant parler conférences petites démonstrations locales marathon savoir retenant vibrant le dessous d'accent traduc simultanée sur le tas. Palpitant roman. Méduse à radeau. Singulier chimiste avec ses tuyaux. Il faut le voir pour le croire habillé lavé rasé branlé et tout gai. Au pif dormant rêvant trucs nécessaires pour améliorer l'éclairage se rythmant l'ensemble travail de bureau. Cadrant miroir sur produc non perçue chant social trop sourd comme phénomènes atmosphériques légers matière animée des plantes profils animaux cristaux rapports dits humains expérience dite amour abrégé lexique. Allez la musique! Allez la physique! Couper langue effilée fibrée et spongiée. Fibroscopée. Et replacentée. Amnioticurée. Et donc il se pisse littéralement le sang dans la bouche air frais de sa dent trouée. Chaque nuit foutu cependant rebu. Et matin papille! Hors de sa chenille! Ressortant de cuvette acide où s'émiette foie farci sans issue. Rerum novus nascitur ordo. Hors de son nono. L'exciton méson et l'anti-proton sont sous les neutrons et les surdeutons. Hélium! Calcium! Hors de l'aimatomes! Un dieu est un animal indestructible et heureux. Essayez, mes vieux. Ronds subtils enflammés rameux nébuleux ombreux. Se tressant entre eux sans la queue leu leu. Bien avant que mâle recherche fémâle suivant elle-même sa carotte en rond en piaulant cocotte sous le gros bâton. Ou l'antiqueutron. Bien avant pépère dans le fontfontfont. Et elles de se le mirer en tout beau. Papa! Papapa! Et eux obligés de passer par imaginaire escabeau pour tenter plus haut d'embrasser mémère. Mama! Mamama! Le temps de s'y faire. Et après jeté. Accouchés grands frais. Et tout ce qui boude dans le cervelet! Répétant sa faune sa flore son chlore. À travers ses pores. A bouffé plus d'un qui s'croyait malin. Naufrage en entrant au porc. Qui veut voler l'ange déclenche la bête. En payant sa tête.

Sous embryon se distend l'empreinte. Veines caves du passé m'éreintent. Marinant le floc du frangi rentré. Les canaux, l'œil, le bombé. Périscope! Tropes! Au commencement était le ver. Pomme. Comme. Dans le fruit tripaille. Sous la moindre entaille. Pupulse! Pupulse! Repupulse à mort!

pendant que nature se disjoint mature et s'ébranle volcans pierreaugaz geysers dans son minéral grouillage son végétal déversoir. Pendant qu'histoire commence à s'étager torrentielle spirale avec sa fourrure, sa lourde torsion. Bruitmoire! Furition! Avec son idiot. Cependant ratio. Et organisation chassapêche mixage appliqué parenté reproduc petite culture en écho. Des mots aux idées il y a deux pas. Un pas en avant deux pas en arrière. Et retour devant par détour derrière. C'est comme ça dit-il sèchement en regardant les montagnes. Ses disciples furent déçus. Ainsi parlait zorrofoutra. Sans cheval, sans chapeau, diplômé pourtant, et content. La mort triomphait dans sa voix étrange. L'éternité nous le change. Nous l'écaille un peu. Son siècle a-t-il été épouvanté? Très peupeu! Loin de là! Et il n'a pas non plus vraiment sorti son glaiglaive! Nonnon! Dans nos régions c'est plutôt bouton. À preuve photo spécialiste costume face à informateur indigène emprunté devant ses lunettes. Savant robinson barbu un rien ralangui brouette vendredi au contraire tout nu bon sauvage pénis un peu relevé? Tantinet! Faut l'faire! Accrocher polaroïd branches exciter un peu sauvage pensée et hop! se ramasser le rousseau contracté social se postant rêveur juste avant le déclic postère! Les joyeux tropiques, monpère! Dans tous les bons manuels. Photo retouchée pour grande presse là où vous pensez. À l'endroit précis de votre impensé. Qu'un coup de dés abolisse ou non le hasard celui-ci s'en tape. Et s'en contre-tape. Même dans des circonstances éternelles. Même si la pensée comme ils disent émet sur ondes courtes ce qu'elle se dépense en étant cervelle. Même si la poétique s'y perd. Plus que la fission nucléaire. Et l'élémentaire sans la parenté. Tenir mariage c'est régler langage. Science qui les intéresse, elles, premier chef. Na! c'est comme ça parceque c'est comme ça! Mon éduque-zizi ne s'y casse pas. Il s'y dore. Conte, chante ça, horreur, mâle, dehors! L'autre est en amont si je suis aval. Il y dort. Vous devez pleinement tenir compte que je vous envoie ces incorporelles bricoles $360°$ température 37 à travers un monceau de ruines dont je n'ai pas choisi le relief. Gardez l'étincelle dans la mécadence observez que ma petite foudre électron mobile a sa décalangue en gril bref. Cela dit, j'ose assurer que l'inceste devrait être la loi de tout gouvernement dont la fraternité est la base. Jamais le foutre ne doit ni dicter ni diriger les principes, c'est aux principes à régler la manière de le perdre: essayez, remplissez vos vases. Qu'on bande ou non la philosophie indépendante des passions doit produire en vous son insecte à phrase. Qu'on pèse bien ces vérités, on verra où elles conduisent, quelle entorse elles donnent à la morale des hommes. Comment elles font somme. Je te pardonnerai d'être moraliste quand tu seras meilleur physicien. Mon mignon latin. Donne-moi la main. Garde ton entrain!

et très surveillés dans l'enraciné. Très plantés cloués. Ou reboulonnés. Foufente! Sur pente! Ils se réengendrent en coulées plombées. C'est nécessité. Nul ne l'affranchit. Dans sa forme prix. La généralité dit-il est le frisson pur de l'être en vie. Et frissonna en effet et prit

froid. Choléra. Begriff! Plaintif! Se faisant les griffes!
Iena, iena, sombre saale! Et le souvenir de p'tit poléon
sur son ch'val d'arçon avec ses grognons. Avant qu'ça
patine dans la bérézine. Après la bouscule en plein
pharaons. Puis marbré-rosé. C'était pas la mode du
névrosaulée. D'la poupée momie proposée aux masses.
Pour qu'elles s'y entassent. Oulianov iconomifié arrêté
posthume et pasteurisé. Avec son sous-frère de rusé
jojo bien fossilisé puis décomposé. Exposé prié puis
désintégré. Fort cruelle hystoire! Implacable écrin!
Dans tous les recoins. Comme la dent d'bouddha et le
chou d'la croix et le brin d'cheveux de la sœur troufoi.
Conservant son mort sous faucille à jupe et se l'enclu-
mant sous son mamarteau! Ayant l'art à merde en
étron gâteau! Tout ça forcément cachant le coloreux
pancosmos. Boitant biglant bégayant bancalant pied-
bottant et s'éborgnant l'os. Se dégénérant dans le géné-
rant devenant gérant du nié niant. Riposte! Réponds!
Sors-nous ton violon! Antheus! Iacchos! La matière se
répète en sexes. Les sexes répètent ce que la matière
ne dit pas. Et ainsi flammèches de siècles en siècles.
Quasi cursores vitai lampada tradunt. À pic feu fuili-
vagineux. Point sans fumée il est aujourd'hui et sera
demain ce qu'il est. Luz. Mûla. Akshara. Sushumna!
Solélune. Et il s'en va donc par cette route deux fois
répétée. Algues bactéries reptile mammife. Quatorze
milliards neurones dans le cerveaulait. Soupe chaude.
H_2 Am Me O Az protéines lipides et catabolyse. Lilas
ma rosée ô macromalyse! Et de là lithique paléoli-
thique et de tics en tics en néolithique ô préhissefour-
rés! Mais que diable! Dans cette galère! Mais queue
diadiable! Au lieu de rentrer dans son bon mauna. Le
codiversel. Ils ne disent pas, ils ne cachent pas, ils atti-
gent. Et voilà l'sapiens! Et le percipiens! Uburex! Car-
busex! Le fresquiste né! Bandant dessiné! D'où ses

beaux rirites. Et son air spirite. Son pépé tué, il passe
en nourrice. Et devient mémé avec son réglisse. Et rapports sociaux. Et ressorts raciaux. Empiriocomiques!
Au début héros croiseur d'île en île, habile. Les gar-
çons, torches en main, sur leur socle de pierre, éclairent la salle. Elles écrasent le blé tournant comme la
feuille en haut du peuplier. L'huile s'égoutte des toiles.
Poiriers grenadiers pommiers oliviers figuiers. Se grap-
pant l'engrappe. Pieds dans la vineuse. Et voilà l'autre
qui chante. Et lui tire l'écharpe de pourpre sur son
front et se met à pleurer, voilé-

l'important dans tout ça si vous demandez où est-on
que se passe-t-il de quoi s'agit-il c'est débordement des
pages avec votre vie concrète concrétisée à moitié
devant derrière vous et sur les côtés sensation de navi-
gation hors marge léger vertige pas vrai brûlure aux
chevilles gros murmure historique nature à toi globule
cerf volant sujet tragique irréversible etc... mais rire
coupant qui vous fuse. Et qui vous ramuse. S'étant
demandé à quoi correspond chez homo le comportement ludique de l'animal chien sur le pré poursuivant
sa queue ou son ombre réponse : homo bave plus blanc
dans le temps. Sans parler de l'engagement. Contre
engorgements répétés zinzins peintres en bâtiments
éleveurs de poulets sanguinaires colonels pétant. Contre
flics chamarrés sur tout continent. Rien évidemment à
comprendre si vous cher nombril ne tenez pas compte
que le peuple seul et ses langues sont et constituent
l'auteur qui lui-même ne s'en tire qu'en reflétant cette
aspiration mouvement. Sa voix revient dans la mousse
à cri. Il s'y trouve l'ouïe. Sound the trumpet. Saaound.
Till araound. Ah! égopolis! Attention, police! Politique
expression concentrée de l'économie. À mettre en

musique, mimi. Et de singe en pépère inspectant l'étui défendant mémère en sombre incoupable pour saquer zizi. Aum! Sous le nez du bas ramenant sa balle colonnée vibrée et repluviotée. Ô filet! filet! Millions de feuilles l'écoulant séries lui tenant sa mère qui se ralentit. Chaque signe en frise. Yeux cônes bâtonnets sur les cases bleues sa rétine en prise. Et l'hémophilie. Noms arrivant jusqu'aux mains mouillées grains accumulés dans le machiné. Matière à grigrise. Lobes mous. Ganglions lésions dans les trous. J'ai du bon cerveau dans ma boîte anthro. C'est que ces cons de fascistes vous mettent facilement électrodes jouant psychiatrie shlark sociaux-fascistes pareils. Se pensant blousés d'appareils. Charcutiers pour faire parler sexe oreille. Je vois que vous n'avez pas mesuré toute la gravité de l'époque hôpital prison syntaxe obligatoire n'est-ce pas antonin électrocuté dans les coins? C'est pas vrai, cousin? Et lui de repiquer en nanoseconde. Sa sonde. Conte ancien du muré sanguin. Le poché caverne animosémal dans sa chasséterne et refais-moi mal. Il court, il court, le foré! La voie est en pleine matière et celui qui dira que ces deux-là ne se sont jamais embêtés est un fameux farceur pour multipliés. Le seul vrai système est subit. Dispensé de derme. Exempté de germes. Et sommeil gratuit. Rien ne naît en naissant qui ne naît passant. Pas d'issue pour la non-syllabe. Et lui de se tenir là simplement en parlant du côté du vent. À poil sans réplique sur son os logique. Ou encore poisson lame en arqué sautant. Vifarge! Point d'arge! Et papillons blancs dans le brisonnant. Et sa bouche d'elle dans le ret spirant. Oscillant paquet. Encarné parlé. Le soleil s'oxygène à travers les blés. Il frappe les vitres de tous vos musées. Maman est-ce que j'ai toujours mes fraisettes? Mes deux sous boulettes? Maman penchée sur moment. Et lui souriant engueuliguilant. Et à côté d'eux éclairé plein fouet dans l'en face à face à la verticale du donnant donné, de la donnamée, le canal natura naturans naturata impensé creusé. Ô prépisses aveugles! C'est quelque chose qui est là, et là, et là, et là, et là-là. Strangulécouça. Rondellipuça. Ô mémé-microbes! Dans sa belle robe. Et la queue velours. De l'ombré vautour. Viens te faire voir. Vérifie-moi ça. Ça pendouillérige en rampant vers moi. Et tends-moi les bras. Silence à papa. Un jour tu l'auras. Plusieurs fois plus gros. Maintenant dodo. Pense à ta laitance, à côté l'égout se recoule en noir tu l'auras promis dans ta cornivoire. Tu t'en sortiras dans l'éclat bouclé, ma momisléquette, mon gentil mimoire. Montre tes quenottes! Touche-moi menottes! Mon chairenfilé, ma brochette aimée! Mon boudifiolé! Mon rameux tigé! Folle enculapine! Ô amine! Amine!

envol claquement tournoiements pigeons des façades. Ouazbad! Spiravent! Génération prenant forme d'abord du père de la mère qui de fils en mère se tend vers l'avant. Grand-père la couvant. Lui cuisant sa marmite tressautant couvercle papin roues d'aubes machine à vapeur au-delà d'eau glace thermodynamique avec graines fruits poumons roulements de temps. Et micro tonnerres d'incitations à débauche. Chaque jour d'embauche. Avalant ration consumation réparant lobby intellect plus nécrofiction de sa crotte ramonée en courant inverse déchet conception du monde augmentée moulant. Tout penseur vit aux dépens du chanteur qui l'écoute. Toute catégorie soigne ses relations qui l'encroûtent. Tout curé a peur de sa panse à doutes. Mon fils, dit pépère ancienne à soutane, nous voulons aujourd'hui nous maârier. Le truc est éventé, c'est bouclé. Nos mémés mêmes ne nous aiment plus. Le pape s'émeut et s'empilabulle. Nous voulons voir ça. Le confessanal ne nous suffit pas. Avant c'est avant, après c'est après. Plus d'aberrations de l'abbé nichon. Écoute. Nous avons tenu deux mille ans. Ergo, ça déborde. Un torrent de foutre. Le ciboire dégouttre! Je t'ai expliqué quand t'étais petit la légende enflée de virgée marie? Le tuyau sans poils qui venait tout doux déposer son chrème près du cœur saindoux? Tu n'y as pas cru, petit mâlotru! Est-ce que ça sentait sous nos juponnés? Déjà la renifle? Le ciergé ranci? Tu l'avais saisi? Ah, sacré fifi! Notre général va tâter les russes. Les américains sont intéressés. En asie, minute, c'est plus compliqué. Avec leur bouboude! Et fameux rusés! Techniciens du truc dans le pianoté! Nous allons lancer l'adultère en grand. Le vrai, transcendé, intersectisé! L'œcuménisé! Et là, sourd frisson. Le panchrist panpan. Le dieu pan vivant dans nos sachristants! Gagnons les fillettes! À la moulinette! L'orthodoxe nous donne des cours. En connaît un bout celui-là, voix grave. Une huile! Des accents, mon petit, des mugissements! Elles en sont fofolles. Toutes choses! En bavent! À part ça, des goinfres. Rougeards. Nous aurons nos fiches, notre ordinatère. Perindésormais ac pénismémère. Jèzes de choc! Ad majorem gloriam dobibi! Nous avons les contacts. Du tact, du tact. Le parti, très bien, ils ont besoin d'ordre. Pas très doux, mais francs, directs, très potables. Pénétrables sous leurs redoutables! L'angoisse humaine, mon fils! On leur fait le coup de la tentation. En douceur, minaudes. Les autres? Même topo. Intrigués depuis des siècles, snobés par mélo. Les affaires reprennent. N'oublie pas: deux mille ans! Rétention suprême! Pas un qui l'ait fait! De quoi se loger. Braves gens. Éclairés, éclairés, de bonne volonté. Moraux, sincères, un peu terre à terre, mais enfin. La planète vaut bien une messe. La science est la science. Et coexistence. Le progrès est progrès. La fin justifie ses fins. Et nous avons nos moyens. La grâce est aussi la grâce. Avec le pognon, bien sûr, mais nous l'avons. Embanqué, partout! Saint-esprit des pays-bas à l'alsace-lorraine, d'espagne en allemagne, en chaîne! Mon fils l'heure est venue, ça va être le lèche-curé généralisé. Mieux que l'acide! Plus stable! Sociable! Les femelles, pour! L'essencielle! La sèvcurité! Et resurrexit tertia die! Et unam sanctam patholicam ecclesiam! Urgence massive. C'est la chine ou nous. L'enjauni ou nous. Péril! Pour le pèze! Et pour le surjèze! Terribles chinetocs! Athées en diable! Ne respectant rien! N'attaquant même pas! Les russes, on sentait le désir, surtout chez joseph, un type de chez nous, au fond, dédié au mâle, solide! Mais mao! Cet air! Inhumain! Même pas un crime! Pas un brin d'enfer! Tu connais la guerre: le mâle par le mâle. Là, on s'y retrouve, il en sort nos biens. Mais la chine? Et note que tout ça vient de loin! Pas faute d'y avoir pensé de jèze en jèze en tentant la baise! Pas suivis par rome. S'en mordent la pomme. Infidèle adam! Et nous fendus jusqu'en pêche. De nouveau la mèche! Ce qui nous arrange c'est la sous-démange. Et la surpopule. Le sous-développe mis sous enveloppe. Per feminae. Petit jésus plus-value. Nouveauté, curé stratégique. Entrant vif dans la production! Dans les lits, au trot! Rassurante colombe! Jamais trop! Aux uns père horizontal, dieu dans l'histoire. De l'évolution? En voilà! De l'ovulation? Ovulationnistes de tous les pays pilulez-nous ça! Aux autres, l'occulte. Réserves! Trésors! Attirés, adorent! Spiritomagisme vie après la mort et parapsychisme et fantômencorps! Dérisoire! Réglé! On leur lâche tout! Avec ou sans herbe! Avec ou sans hostie préparée! Le trip idyllique! Joint surlégal! Orient des rêves! Sursum corda! Benedictus qui venit

in nomine bambini! La psyché coincée! Tricotée hui-
tée! À nous la psycha, les pulsars du bas! Train spé-
cial! In principio erat verbum. Signifikantum! Vroum
vroum à nous le bateau! Maximo deo!

et splash rapidité d'angle à masse expansion effondre-
ment d'ultra viole poussière nœuds d'étoiles rouge
infra soulèvement con stella. Et bong dans l'année-
lumière deux mille ans pour retour d'exclamation lancée dans tout ça. Camarade, dit globard, nous devons
être prudents et patients. Rien ne prouve que vous ayez
raison. Je suis même sûr du contraire. Nous avons
perdu l'esprit familial trop tôt. Il faut le consolider par
défaut. Ces chinois ne m'inspirent aucune confiance.
Le silence de ces espaces non finis m'effraie. Je ne suis
pas contre a priori, vous connaissez mon libéralisme,
mais a fortiori oui. Je suis pour l'humilité. D'ailleurs je
n'y connais rien. Mais vous non plus. Et au fond, personne. Je crois ce que je vois, je touche ce qui est chez
moi. Ce qui est dit est dit, et en général c'est bien dit. Un
verbe plus haut que l'autre m'ennuie. Sauf si le parti
garantit. En ce cas il l'a bien dit puisque c'est lui qui l'a
dit. Un chat n'est pas rat, un rat n'est pas chat. Je ne
comprends pas vos soucis. Vous serez détruit. Tu seras
brisé cartilage! T'auras la vraie base au cu, le fond du
méta! Pour qui tu te prends? Tu ressors du rang? Et la
hiérarchie? Et la modestie? Qu'une tête se détache, et
je crache! Nul n'aura raison contre le parti! La classe
ouvrière m'a nommé son père. J'en suis tout enceint!
Tout fiéro serein! Qui n'est pas en moi est un fou vipère.
Un mégalomane qui se voudrait soi. Or il faut freiner.
Et se renoncer. Ne pas s'écouter. Et se répéter. Je suis
un procès sans sujet. Le sujet qui se veut procès m'exas-
père. J'embrasse la base. En maso de base. Pas mao,

maso. L'existence sociale des hommes détermine leur pensée. Or comme j'approuve constamment mon existence sociale, c'est que ma pensée est sauvée. Donc, je peux l'impenser. Et vous l'imposer. Cachez cette chine qui ne saurait me voir. J'ai eu trop peur dans le noir. Serrons-nous. Et réchauffons-nous. Soyons nos nounous. Ô france je suis avec toi! Unifrèrsitaires, défendons nos droits! Je regrette, l'instituteur ne nous a jamais parlé des chinois. Or l'instituteur était un homme pur et droit. Je l'aimais. Nous nous aimions. Parfois, le soir, sous la lampe... Contre les bourgeois. Ce qui est contre les bourgeois est bien en soi. Or qui me prouve à moi que les bourgeois n'aiment pas les chinois? Nous n'en sommes pas sûrs. Ni personne. C'est pourquoi je suis contre. Radicalement. Sans émoi. D'ailleurs on m'a dit. Quelqu'un l'a dit à quelqu'un qui me l'a redit. Et je le redis à mon tour avec une tranquillité légitime. On n'me la fait pas. Pas de vos chinois dans nos tapinois. Réformons. Mutisme. Et pas de mutins dans le catéchisme. Le chinois n'est pas sur notre autoroute. Cette leçon vaut bien un fromage, sans doute. Nous sommes le granit de l'honnêteté! Nous sommes le sel de l'enterre! Père le disait, mère le savait. Au-delà des pyrénées, pas de quoi! Soutenons les vosges en virils gaulois. Un gaulois n'est pas un chinois. Un chinois n'est pas un gaulois. Je m'en tiendrai désormais à cette vérité toute simple.

messieurs, dit le pdg, la situation n'est pas bonne. Les affaires tournent en rond, des fuites partout. Le foncier enfoncé, l'immobilier traqué, le change est enfin ce que vous savez. Plus nous misons sur lui et plus il nous mange. Tant va le change à l'eau qu'à la fin c'est la fange. Montons les prix, desserrons l'étreinte. Les syndicats sont à nos trousses, raisonnables au sommet mais parfois, hélas, débordés. Débordé est le mot, mais j'espère que chacun de vous sait comment border son rebord. Les sanctions d'abord. La crise vient évidemment de l'étalon-or. Ce général était dingue. Sorte de tremens. Avec ces histoires d'histoire, voilà où l'on va. Le dollar, notez, a encore le dos large. En tenant compte que les russes ont les stocks, en cernant l'évolution qui s'annonce, pas impossible que nous puissions rempiler dans le transfert technique au cœur du baba. Jetons du l'est, aidons la restauration, industrialisons, nous affolons pas. L'europe vient vers nous. Le socialisme devrait être nous. Nous replâtrerons le socialisme! Russes très ouverts, mais méfiance. Impatients de nous gérer à leur tour. Chinois en retard. Allons-y, ça pagaillera. Vitaminons le boche, le jap. L'intérieur stylé, le gaucho triqué à la pelle avec approbation honnêtes gens déprimés, la police avec nous surtout, pas d'excès. N'accélérez pas sur les libertés. Je veux une télé absolument nette, le bromure même. N'oubliez pas que le général s'est fait foutre en l'air parce qu'on l'y avait trop vu. Des pièces connes, des jeux cons, des merdes partout. Torchonnage visuel en tout. Canalisons et orientons. Les contes de perrault par exemple. Perrette et le pot au lait. Petit patapon et publicité. Les débats bidon fausses fenêtres, symétrie calculée. Et foncez-moi dans cette bidoche si elle se rassemble, sauf coup monté par nous, évidemment. Messieurs, la situation n'est pas si mauvaise. À peine deux ou trois incidents. Gauche réaliste, soignée. La monnaie décline, mais sans dégueuler. Sériez les dossiers. Poursuivez la cure. Et à bientôt en afrique hein? pour le safarpub? Venez-voir mon dernier tableau. Cher, c'est d'un rose exquis, saumon, je l'ai mis dans le petit bureau, sur la droite. Ma femme relit proust. Moi, les écrivains, je

m'en fous. Ma femme et son psycha, c'est très délicat.
Mais, cher, vous savez que la mienne s'est inscrite, foi
de bedaine! Non? Mais si! Tout de bon! Solennelle!
Revierge! Je la croyais gaucho? Jadis! Naguère! Un
peu! Maintenant, aux comptes! Syndiquée! Rangée!
Plus en course! Salut, dupont, et tenez la bourse, à
l'auto, à l'auto, à l'embouteillo!

si les révisionnistes modernes défendent avec tant de
zèle le réalisme critique c'est qu'ils sont aussi des
porte-parole de la bourgeoisie décadente. Forme insur-
passable, disent-ils, mon œil. Embellissement d'exploiteurs, ouvriers paysans présentés comme voyous valets,
histoire à l'envers, théorie du moi, esthétisme, fiente.
Renaissance, siècle des lumières, rentrent sans exception dans le cadre de la littérature et de l'art classiques
bourgeois. Aimez l'art en vous-mêmes, disent-ils, pour
signifier sûr capital renom. Théorie des germes, nature
double. Essence humaine tombée ciel innée sans pratique la même pour tous, des clous. Soi-disant idées
venant du cerveau comme bile aspect social de la
question évanoui et gommé pour cause. Représentation enfantine histoire faite par héros saints prophètes
peuple absent que le véritable héros en revanche reflète
et comprend. A priorisme droite ultra gauche rupture
entre subjectif objectif confusion existence conscience
culte origine soi-disant auto-éducation négation des
masses. Tout ça évoluant vers réconciliation de classes
passivité entité fumeuse patriarcat repeint grosses fesses
connaissance coupée des pratiques de nouveau fanto-
matique psyché couvrant ses mythes à moitié. Or il
faut unir la politique et la vérité. Mettre en évidence
contradictions conflits, pas d'isolements répétés. Réalisme romantisme révolutionnaires nouveauté origina-

lité limites de l'individu aspirant infini rapports sociaux émergeant chaos. Sortant abstraction sucrée contemplation des mêmes lilignes pour entrer noir torrent à rougir des deux mains prolo. C'est l'intérêt de l'écrivain se mourant d'ennui à répéter ses petits effets au dodo. Au bout de sa dix-millième phrase sur désespoir sensation vague rêve épingle à linge et ronron de sexe au milieu des bâillements généraux, il voit clairement l'impasse à fantasme. Ralbol personnages superflus allusions toujours inutiles reflets de quoi de qui pourquoi comment je vous le demande ça ne sait rien et ça fait semblant pour pas rien. Pendant que véritables acteurs ont deux minutes pour aller pisser dans les lavabos. Et ta gueule. Boucle-la. Primes tympan martelé bonzes pontes et les flics si un mot de trop. Attention aux doigts. Pointant métronome chariot loin bureaux moquettes papier glacé mal au foie. Dactylos tac tac dans l'ordinatac ravagées fatigue emballeur idem balayeur idem fraiseur et soudeur et coupeur et fondeur. Sous verrières armature d'acier son vaste. Passe-moi le tract. Ramasse-moi ça en groupant l'attaque. Analyse. Rédige. En deux mots. Et tu te rappelles la visite éclair du popoète révise qui venait nous encourager au nom de son moulin de campagne et de sa lampe à bronzer ? Et il faudrait en plus paraît-il répéter ses gargarismes, ses vers comme ils disent ? Infâmes salopes. Collabos pourris. Pires que les bourgeois. Pareils en plus merde paternalisme gâteux moite paume aux fesses se rotant l'amour en gaga. Poète prends ton luth ! De classe. Et chie-moi tout ça ! Et pas un cadeau, du fond du coma ! Et sur tous les fronts, avec qui voudra ! Et cultive-toi. Apprends la philo qui te servira. Repérant d'instinct ce qui leur plaît pas. Ces chinois, paraît qu'ils en veulent ? Qu'ils ont bazardé le trime et tais-toi ? Et qu'ils sont nombreux sur leur table rase? Les bonzes sont contre, mais ça vient, ça filtre, qui vivra verra. Malgré la censure et le cogne-moi ça. Ce qui pousse en bas a tout devant soi. Qui verra vivra et se souviendra-

étudiants, ne vous laissez pas rabrutir. Ne vous asseyez pas maintenant. Le renouveau qu'on vous offre est du vieux délire. Empiriotrifouillé pour fillassenflée. Critiquez, critiquez, il en restera toujours quelque chose. Demandez des comptes. Du plus clair aux pontes. Repérez, classez leur embalbutié. Et leurs airs gênés. Rééduquez-les. Fixez vos programmes. Ne vous laissez pas barbouiller de came. Avec le parti ne dégonflez pas le combat. L'opium est la religion de l'anti-peuple. Le révisionnisme est la forme la plus antipopulaire de l'opium. Le bourgeois, le réviso, la main dans la main, en évolution elliptique, concertée, sournoise, ont bien l'intention de vous enculer. Résistez et contre-attaquez. Le désordre contient et renforce l'ordre, c'est fou ce qu'ils jouissent de se peloter. L'anarcho-fliqué est à récuser. Pas mauvais type mais gentil borné. Cracher n'est pas défoncer. Se défoncer n'est pas enfoncer. Enfoncer une porte fermée ne suffit pas pour qu'elle reste ouverte. Or, donc, armez-vous et étudiez leurs points faibles. Sans théorie, rien que pur mimi. Ne prenez rien sans la lettre. La psycha est d'abord, c'est sûr, quelque chose de très organé. Regardez-vous-y de plus près. La dialectique s'apprend. Se pratique. Sans pratique, rien que merdouillis. Étudiez l'histoire. Vous irez plus loin. Une poubelle, même si elle est historique, ne suffit pas à évacuer une philosophie périmée. Mettre une philosophie à la poubelle est cent fois plus efficace que d'y envoyer, stricto sensu, un prof de philosophie. Un prof jeté à la poubelle engendre dix poubelles se prenant pour des profs. Vous voyez d'ici. Si vous vous droguez de la main droite, vous n'êtes pas obligés de le dire à votre main gauche. La métaphysique consiste en effet surtout à joindre les mains. Soutenez les filles qui ne veulent plus fusionner en un. Loin de vous vexer, dites ouf enfin ! La préparation subjective est nécessaire. Ce qui ne veut pas dire subjectivisme, sectarisme. Lesquels viennent trop souvent de votre style stéréotypé. Beaucoup de nos camarades qui s'occupent actuellement de propagande n'apprennent pas la langue. Leur propagande est très ennuyeuse et peu de gens aiment lire leurs articles, écouter leurs discours. Finissez-en avec les tirades vides et interminables. Intimider n'est pas convaincre. Le dicton jouer du luth devant un buffle implique une raillerie à l'égard de l'auditoire. Si vous l'interprétez à l'envers, la raillerie retombe sur l'exécutant. Ne vous forcez pas à parler, à écrire, si vous n'avez rien à dire. Sans quoi, vous ne pourrez plus critiquer celui qui a quelque chose à dire à côté. Le vrai se développe dans la lutte contre le faux. Pas en lui cassant les oreilles. Ce qui implique que le faux lui aussi se développe et qu'il faut savoir l'apprécier. D'autant plus que le faux est sourd. Le marxisme est une vérité scientifique. Il n'a pas peur de la critique et ne succombe pas sous ses coups. Si l'on ne saisit pas bien cela et, à plus forte raison, si on ne le comprend pas du tout, on risque de commettre les plus graves erreurs et de méconnaître la nécessité de la lutte sur le plan idéologique. Et là, schtof, applaudissements révisos marrons du feu illico. Votre style devrait être plus gai, plus frais. Plus vif, plus populaire. Ne dites pas prolétariat ! prolétariat ! demandez-vous plutôt ce qu'il dirait à votre place. Ne vous émouvez pas si les profs prennent un air pincé. Leur alambiqué est exténué. Ils en savent toujours moins que vous le croyez. Dites ce qu'ils disent en beaucoup plus clair. Et renversez-le devant eux. L'humour est votre canon, votre surraison. Abandonnez le surréalisme qui nourrit le sous-réalisme, les deux ayant avec le soi-disant naturel une odeur équivoque de chiotte et de sacristie. Affirmez. Rien ne sert de courir il faut disquer à temps. Traversez le porno en vous observant. Méfiez-vous de ceux qui écrivent toujours les mêmes phrases. Leur cœur sans musique est noir comme l'érèbe. Au passage, je signale au lecteur qui n'est pas arrivé jusqu'ici qu'il a commis une lourde faute. Je n'approuve pas pour autant sa pollution. Faute, car seul l'entrelacement sédimentation rongeante desserrement du refoulement peut, degré par degré, prouver le sens de mon inadanse.

broum schnourf scrontch clong pof pif clonck alala toc toc toc cling skock bing glup burp snif pout pout paf crac pot clic crac tchhhh hé hé guili sluuiiirp aaa mhouh mmouhou mouh plouts gnouf snoups tchi tchit chiiiiii ê ê ê ê slam ga hou gnin hop drelin drelin braang fochloour badabang! C'est ainsi qu'au début le saoulblimateur apparaît au cœur même de leurs mimythes. Sous forme dragon négation etc... Il tourne. Il fait l'opéra. Il pose l'entente dans la mésenpente. Tout ceci assez obscur, c'est vrai, illisible, dites-vous, incompréhensible, d'abord c'est vous qui le dites, ensuite rien n'empêche le réel d'être plus compliqué que votre utilitaire pensée du jour dépensé. Lui, jante en rond sonnante etc... Toutorbé. Encrâné dans l'orbe. Et doublé sphéré. Curvilécervelle dans son éclairelle. Ondée! Folloise! Ourlé! Il est mouvement et repos. Il est migration et dépôt. Et polyrameux et vidancanaux. Le dernier couché, le premier levé. Le doigt sur la bouche, le bzutage en mouche etc... S'embraquant de chutes, coulissant les luttes. Traversé de haut dans le bas des hauts. Fouissé! Ohissé! Rapté! D'envol! La spirale à fendre ou le zobérisque. Et sonnez hautbois caphonez clairons. Refusant au fond de se reproduire dans les enrapports de reproductions. D'être plancastré dans la castriction. Ceci d'ouverture. Puis barqué d'un coup. Odysseus. Héros positif. Poétocursif. Prolo des récifs. Et d'un nom à l'autre et d'un corps à l'autre en portant sa lampe de mineur en rond dans le contenu de sa formenfond. Contrairement à ce qui a d'abord été soutenu sans connaissance de cause, puis nié avec demi-cause, le contenu et la forme ne sont pas, mais pas du tout, la même chose. Cherchez et vous trouverez. Le point de vue de classe doit être visible. D'ailleurs, il ne peut pas ne pas l'être. Ce qui ne veut pas dire que l'on ne doit voir que lui. La chine est un héros évident. Le prolétariat doit donc la défendre. Idem pour écrivain révolutionnaire qui doit donc avoir l'habileté obstination de. Eh, oui, difficile! Élevé gracile! Dans les fleurs débiles! Futurisme! Doux temps! Et les révisos de se l'avaler au passé! Se donnant brevet modernité rafistole! Exploitant toujours futur des autres babioles. Aventures d'alors. Et eux, maintenant, pas foutus de rédiger sec, de leur temps. Cinquante ans retard minimum. Vingtième piétine. Petite monnaie d'ancienne épopée. Veufs du neuf! Pas vrai vladimir? À quelle sauce on te suce l'os! La barque d'amour s'est brisée sur le rocher de la vie courante. Le rocher est toujours là. Et parle de toi. De plus en plus roc. De plus en plus toc. Et proftroc! Contre le génie, la momie. Et roule et vas-y sur un air ou l'autre fleurunivers ensemencé labouré c'est pour toi la sanglante illiade! Votre trentième siècle vive la révolution joyeuse et rapide! Voyant les chinois en 24 défiler traqués pleurant pleins d'espoir. Plus du tout ça vladimir! En 71! Et vive la révolution seule grande guerre que l'histoire ait connue! Très joyeux ces chinois d'attaque. Vingt et unième plein d'intérêt! Même en lisant la peur dans les yeux de ceux que nous avons estimés, nous nous instruisons. Les révolutions se passent dans les culs de sac. Le fait que les navires et les villes n'apparaissent pas dans les idées montre que la pensée se détache aisément du réel. C'est une propriété de la pensée. C'est pourquoi la meilleure façon de me lire est d'accompagner la lecture de certains mouvements corporels appropriés. Contre l'écrit non parlé. Contre le parlé non écrit. Pour le geste avis. Contre momorts enterrant momorts et se croquant mort avançant leur lingue. En rétroluistics! Un lacet de grand romancier vaudra toujours mieux qu'un petit roman tout entier. Et eux de suivre le poète comme son ombre dans sa liberté surveillée. Et eux de se perdre comme jacob dans sa muséchelle. Voulant faire l'ange à sa place et tuer sa bête. Mais le poète n'a pas d'ombre, cher ange. Il ne valse pas, ne lévite pas sur du flonflon strauss. Et voilà! Mouches grises contre un mur. Voulant ébranler l'acacia. Facile à dire. Et blabla. En effet depuis qu'il a écrit ce qu'il a écrit ce qui est écrit est écrit les gémissements augmentent dans son orbe vide voix lèvres muqueuses cons cus pincés fissurés en vrille ondes chocs obligeant mémère à veiller au grain pour que rien ne passe en état hors-père fistonne couvée d'œuf à chaud d'intestin. Elle défend furax conception pied plat noir mercerie parking souterrain d'archives petit magasin. Autres réactions de gueule: exploiteurs parvenus force du poignet dans supers nouveaux chiches se donnant rétroactive culture des deux mains. Laqués! Sous-malins! Ou encore: ambitieuses matrices coupées net en pleine écœurance esse est percepipi dans les coins. Mémé commence pour leur compte campagne perfidies chuchotis de troisième zone tâtant tout client possible rêvant filet enserrant partout les dormeurs cabale courante crochant mâle en bourse et femelle en gousse peignant l'acteur en pompier criminel baise-majesté télégraphiant téléphonant prenant le thé tournant persévérant d'être avec comprimés bile enfiellée venin. Front syndiquanus soucieux monopoles poches sombres phallus pépé mort pierreux cercueil flaque assurant regroupement sanie des poupoulpes dure angoisse comment l'arrêter comment l'étouffer comment le rembastiller comment unifier profs croyants lavements pompés des radins chaque muscle doit être à sa place chargé négatif silence ou alors dites qu'il ne va pas bien. Et fermez l'écluse! Paraît qu'il s'est effondré déréliction en chemin! Et foutu des muses! Sans serrer ses freins! Une soif malsaine obscurcit ses veines! Ah, que le temps vienne où les cœurs s'éprennent! Bref: blocus. Il y a des consciences qui à de certains jours se tueraient pour une simple contradiction et il n'est pas besoin pour cela d'être fou, fou repéré et catalogué, il suffit au contraire d'être en bonne santé et d'avoir la raison de son côté. Au slogan fasciste bavez bavez il en restera toujours quelque chose opposez le slogan révolutionnaire: calomniez, calomniez, il n'en restera rien. Ce que vous lisez ne ressemble à rien. Contrairement à ce qu'insinue mémé présidente montreuil parlant directrice ébouriffée soi-disant plagiat démagogue citant tel ou tel nom connu sans savoir la langue s'appuyant sur curés précieux symboleurs meringue proéminence grisâtre à mirages fatras morganal sels tics d'entrejambe croyant voir désir d'envers de rechange führer le chanteur. Déployant l'aigreur! Fantasmant l'assomption radio tv surveuve histoire immobile révisos démo-

cratie balancée d'empire à l'école bouchant toute résur-
rection concrète et pour cause vraie congrifusion hymen
éroccultisme à crétins. Moi je m'suis jamais masturbée
clame-t-elle! Je vous chatouillerai, lui répond tintin!
Allez, momifions tout ça en crottin! Stéphâne! Anto-
nain! Eliphesse mâchin! Eh, vas-y ma reine, montre
ton saba sous ta blouse à seins!

de nouveau éloignant conscience petite visière. Debout?
Veut dire que si tu ne te lèves pas personne ne le fera
à ta place. Les damnés de la terre? Veut dire qu'il n'y
a pas d'autre enfer que celui de l'exploitation en bocal.
Debout? Te rappelle corpus travail pour sortir quatre
pattes animal. Les forçats de la faim? Te dis clairement
que la bouffe est loin d'être assurée partout même si
apparence pour l'occidental. La révolte tonne en son
cratère? Souvenir formation volcans lave explosion
feu forgeant ton cœur est de même. C'est l'éruption de
la fin? Boucler cette préhistoire assommante prendre
en main transparent destin. Du passé faisons table
rase? Te montre immédiatement qui veut qui ne veut
pas terreurs enfantines vampirisation sangsue prêtre
au cu. Foule esclave debout debout? Pas seul mais en
masse marée pour foutre en l'air banquée plus-value.
Le monde va changer de base? À travers transformation sociale nouvelle conception jusqu'aux fonds
marins. Nous ne sommes rien soyons tout? Percutante
formulation logique définition de l'humain. Et l'orient
s'empourpre! Et soleil se lève! Indispensable correc-
tion pour montrer tout net d'où ça vient. Xīng xīng zhī
huǒ kě yǐ liáo yuán! Tā wèi rén míng móu xìng fú!
Avouez qu'au fond vous ne lisez que ce qui vous
arrange. Fourré ici sous le nez comme identité hypo-
derme pensée réalité en fusée. Rebond bal! Trans-

danse! Mais aussi longtemps que tout ceci ne sera pas réalisé partagé ça reviendra cogner à la vitre fantôme chant du coq mauvais rêves. Tout près d'ici, sous ces fenêtres, fusillade appelée commune. Et moi de l'écrire aujourd'hui les yeux bien ouverts sous la lune. À vous de mesurer le chemin. Pendant que ça dort. Que ça ronflenfonce dans son faux décor. Encore dans l'état du sommet au bas. Et lui de jeter sa pièce deux sans fin pam pam, pam pam. Au commencement afflux cherche tympan pour moyen. Pierrebranle! Rondelle! Etronille! Joyel. Joel. Joielle. Jocales. Jocalia. Gioia. Jocus. Div!

Sac à peau. Découdre. Sphétroul. En démoelle. Palais. Voiles. Palais. Laryngécoudé. Et nasalisé. PBM.TDN. KGN.FV.SZ.X. Lab! Dents! Occl! Fric! Spir! Gutt! Pal! Matères! Liq! Vib! Émoi des pétilles. Doucérupte. Caplottes! Puis brouillard. Sous-pointes. Puis l'empoudre. Après-son. Tenu. Cheveu, cheveu! Nêtré, non êtré. Broie la tempe dans l'ultramodule. Et passe et pisse et avale et chie en cylindre relimé tourné. Lieu du joint. Tumulorecoin. Tell! Eneoneo. Sceauvase! Dans les fortifs! Au radiocarbone. Au bronzé des cornes. Écricri! Argileux cadeau. Dans l'assiette! Ordinémultans. En paraphe! Synépostéchoréphonolégraphe! C'est au cri bébête de la passion de dicter la ligne qui nous convient. Il faut que les expressions soient pressées les unes sur les autres, il faut que la phrase soit courte, que le sens en soit coupé, suspendu, à l'endroit ou à l'envers comme un polype. Il nous faut des exclamations, des interjections, des interruptions, des affirmations, des négations. Nous appelons, nous invoquons, nous crions, nous chantonnons, nous rions! Capacité singée en rut musical divers et ruisselle qu'ils verraient eux tous sans chroroformé. Dès lors sourds muets aveugles à lumière des siècles. Dans la luibido du bibilolo. Ç'tructure, ç'tructure que de trucs qui durent en ton nom! Ô l'axé recteur du rectum en con! Mais, dit-il, la sagesse est comme les larmes qui filtrent entre les paupières. Anâ'l shamr! Azalabad! Paraclef! S'éclipsant sur pointes. Et sans une plainte. Arrivé au savoir absolu, il se sent fourbu. Et soufflu! Je suis, dit-il, le procès par lequel l'espèce cherche à supprimer sa particularisation, à se comporter à l'égard de son existence objective comme à l'égard d'elle-même. Na! Quelques-uns ricanent. Ils ne savent pas ce qu'ils font. En réalité, ce qui est ici implique que la détermination de la forme représente sa propre totalité accomplie. Nul objet ne résiste à cette force infinie. Méthode incommode. Je replonge et déborde. Suivez mes manies. Je te salis, vieil oubliant! Tu n'es plus mon maître. Par son essence, l'auto est contradictoire avec elle-même. Et caucause, caucause! Réciprocaucause! La philosophie ne peut se contenter de raconter ce qui est, elle doit chercher à connaître la vérité de ce qui arrive. Hic et nunc. À la lumière de cette vérité, elle comprendra ce qui dans le récit n'est que simple événement. Allons, au suivant. Reformez-moi ça dans votre dialecte. Historié social de l'ouvert au vent-

tu n'en seras pas moins débris charnier mâchoire ironique comme tous les autres. Et machine au rancart silence sur tout ceci travaillé pour d'autres. Ô entends-

la encore une fois! Ô joue-moi un peu dans tes articula-
tions phalanges veines aorte cils pupilles en toi-toi!
Ô décroche-moi! De façon que drame continue pluie
battante soleil eaux chaudes fleurs prés arbres raisins
écoutant la mer dunes plages ronflements moteurs. De
façon que petite éduquation personnelle n'importe où
te pinçant d'horreur. Sur ton transbordeur! Et combien de marins combien de capitaines combien de
migraines. Et tous ces discours traités symphonies tra-
gédies pourries. Allumant tel ou tel nerf au hasard saisi.
Pyramides atomes échafaudage macro et micro en vie
et regard en tissant ma nuit. Position de classe. Pas le
même espace. Le bourgeois qui passe au prolétariat
aura droit, en cours de rééducation, pour son soutien
personnel, de se prendre pour un renégat aux lèvres
fuligineuses. Le prolétariat attend de lui une rotation
avouée. Et qu'il prenne tout de là où il est. La préhistoire, les anciens, les anges, les rois, le droit, la démo-
cratie, l'étranger, la mobilité. De cave en cave et
bibliomasse. Et martelle et tasse. Et trie et ramasse. Et
bascule! Casse! Le nouveau peut compter sur deux
allemands, un ensemble avancé de français, un russe,
un chinois. Pour ne parler ici que des reliefs accusés,
lesquels ne doivent pas faire oublier que le peuple, fina-
lement très énigmatique, est le seul auteur. Et le trans-
ducteur. Dragon des mélanges. Le vrai surfondeur. Un
spectre hantait l'europe: il se balade maintenant au
grand jour. Une europe hante sa réalité. La réalité ens-
pectrée passe à travers ceux qui croient la boucher.
Autrement dit, l'affaire suit son cours. Et ronge en
racines et dévoile et mine. Pour que le prolétariat trouve
ses alliés réels, il lui faut refuser non pas la tactique,
encore moins la stratégie, mais toute station inutile.
L'histoire n'est pas un chemin de croix. En définitive, et
malgré sa complexité de plus en plus plexifiée variée le

117

procès n'est pas arrêté. Ceux qui croient le mettre en boîte pour le réviser en toutouche-concepts limités puent déjà la viscère. Bien creusé, jeune taupe ! Ici, nous devons mettre en place un opéra permanent. Il délie le passé, l'explique, approfondit l'avenir, le rapproche, fait sentir les tangentes. Sa manière de résister à la répression comporte un commencement de leçon. Et vrhombe ! Il avance ainsi ses variantes à travers l'on-dit et l'ourdi. Surmontant sa trouille à demi. Luttez. Et dégagez-vous de la tombola. Ne mettez pas votre lard au-dessus des classes. Tôt ou tard, cela se verra. Lâchez la proie, puis reprenez-la. Dans sa contreproie. Sans relâcher l'ombre. Découvrez l'histoire dans le bain fulgant du réveil. Gorge retournée en spasmes. Jouissez d'être l'étoilement des marques dans la retenue l'éclat et l'effacement des sons. Absorbez l'air jaune. Morcelez-vous dans le temps passant ! En creusant ses faces, géométrie, algèbre, vous obtenez l'épopée. À travers l'épopée, vous vous surprenez. Le chant éjecte son quart de ton, pense son excrément gorgé jusqu'au ventre. Viraj ! Le bout des doigts est risqué. Le cube tourne sous forme de sphère. Voir tourner une sphère n'est pas nécessairement être pris dans son mouvement. Son mouvement, lui, peut se savoir cube. Et penser de temps en temps à moi, à vous, un point c'est non tout. La tumescence, la détumescence, sont des aiguilles directes. Le chaos a un coude bleu. Votre main accompagnera toujours votre bras. Gros bêtapoisson, les mailles sont vides ! Une fois le tour fait, la fiction se rouvre. Plus une particule est lente, plus elle attaque l'organe où il faut. L'après-son se travaille encore par le non. La pensée provoque le circulaire. En parlant du vide, on ignore trop souvent la vacuité. L'état-limite est inexcitable. Regardez cet os. Les pensées surgissent sans fondement espacé.

L'ENTRÉE nous apprend d'abord que ce n'est pas la nature en soi mais les transformations réalisées par l'homme qui sont les fondements essentiels de la pensée. Dans l'abréviation infinie des particularités de l'existence je suis, permettez, la spirale que vous rejetez. Le vrai, c'est entendu, est système, la vérité est procès, mais ne comptez pas sur moi pour feindre de n'être pas leur sujet. Divisé, oui, je veux l'être. Mais aussi massé et tassé. L'immédiateté de mon non-être, si je peux encore m'exprimer ainsi, constitue ma seule apparence. Ma raison pensante aiguise les différences. Ce qui vous apparaît comme l'activité de ma forme est aussi le mouvement propre de ma matière. Cela vous agace ? Tant pis. Ma nécessité poussiéreuse ne devient pas liberté parce qu'elle disparaît, mais parce que son identité encore interne se manifeste. Ici, parmi vous, dans notre nature organique, sociale, nous assistons ensemble, si vous voulez bien, au surgissement du concept. Bonjour ! Le syllogisme me rend mortel. Seulement un instant, s'entend. Au fond, il n'est pas impossible que je sois une source inépuisable d'un mouvement se renouvelant sans cesse. Source vous irrite, disons reflet. L'hypothèse est ingénieuse, non dépourvue de tristesse, pourtant. Ma négativité que d'autres trouvent absolue, m'enseigne patiemment la dialectique. D'où mes progrès indiscutables par rapport au nourrisson que j'étais. Dans la vie, mon sujet individuel se sépare de l'objectif. Je vous mets en garde contre le fait d'ériger mon identité en loi, laissant ainsi tomber mon contenu contradictoire dans la sphère de la représentation. Embrassez-moi, mais très vite. Prenez mon tournant. Mon extension la plus grande est aussi une intensité plus haute. Quand je me reprends dans ma profondeur la plus simple, comme je suis aussi débordant! J'en rougis modestement, en vrai fleuve. Je marche donc vers moi-même par la négativité de l'immédiat. Broussailles! Tenailles! N'enviez pas mon sort: c'est le vôtre. Vous êtes forme, et sur cette forme, je bâtirai mon aforme. Contre l'uniforme. Je suis impénétrable, atomique. Et vous? Je suis méthode, je n'ai pas dit que je faisais un discours. Encore moins que je sollicitais vos suffrages. Question de langage. Le temps et l'espace existent en dehors du moment où je deviens par trop subjectif. Je le sais, et ça m'aide assez. Prenez-moi le pouls: dites si mon exposé est plastique. Je pourrais vous égarer en insistant sur le fait que ce qui commence est déjà tout en n'étant pas encore etc... Mais enfin. Une matière peut-elle être la forme absolue? Y a-t-il une disparition directe? Qu'en pensez-vous? Vous n'avez pas froid? Vous préférez que je tousse? Mes propositions, vous l'avez remarqué, sont animées d'un mouvement à la faveur duquel elles tendent à disparaître à travers elles-mêmes. L'unité indique cependant l'affirmation. Puisque vous êtes sortis désormais, je vous permets d'ajouter la division qui s'impose. Prenez et bougez. Vous pouvez vous supprimer vous-mêmes, pourquoi devrais-je m'en occuper? Auriez-vous honte de contenir mon contraire? Chacun apparaît dans l'autre. Et alors? Cette négation rebondit sur nous, ricoche sur vos surfaces. La limite est ma qualité : en quoi je suis précis sans être obsédé par la substance de nos circoncis. Mon attraction représente le moment de ma continuité dans ma quantité. J'en prends de la graine. Ma continuité contient encore la discontinuité de ma multiplicité, mais, pour ainsi dire, à l'état d'in-interruption complète. Mes uns me réchauffent. Mes autres m'étoffent. L'espace est cet hêtre hors de soi absolu ? Soit. Mais restons discrets. Les membres de ma série, mes membres tout court, ne doivent pas seulement être considérés comme les parties d'une somme. Mon mouvement en rapport avec une fraction d'espace parcourue pendant un temps écoulé se présente sous les différentes déterminations d'un mouvement pseudo-uniforme, uniformément accéléré, ou encore, alternativement, uniformément accéléré et uniformément retardé. N'espérez pas toucher en même temps ma position, ma vitesse. Ne vous laissez pas enfermer. C'est un très beau jour. La fin, par exemple, d'une fraction de temps qui représente la durée de la chute des corps est elle-même une fraction de temps. Ma vitesse n'existe que par rapport à l'espace parcouru dans une fraction de temps et non à la fin de cette fraction ! Nuance !

que suis-je, qui suis-je, sinon des lignes qui, pour former une superficie, doivent être posées en même temps que leur négation ? Lignes comme des surfaces, je vous l'accorde, mais comme des surfaces infiniment minces. Mes indivisibles, remarquez bien, sont des lignes lorsqu'on considère des carrés, une pyramide, un cône. J'y restaure, de temps en temps, mon rapport potentiel. À l'encontre ! Supposez que ma puissance, mot douteux, soit une pluralité d'unités dont chacune soit cette pluralité même ! Vous voyez le truc ! Dès lors, ma quantité est, dans sa vérité, mon extériorité revenue à elle-même, non indifférente, au sens où vous faites revenir un plat, où vous relevez la sauce, où vous augmentez la saveur. Imaginez un repas sans sel, sans moutarde, sans poivre ! Le fait que je dise encore je vous excite de plus en plus. Qu'y puis-je ? Essayez vous-mêmes ! Cette quantité est donc la qualité même si bien qu'en dehors de cette détermination la qualité comme telle ne serait rien. Et qu'ça saute ! Il y faut, c'est exact, un double passage. Un peu d'arrosage. Sans le second, la quantité ne deviendrait pas le contenu de la qualité, on manquerait sa suppression, appréciez l'engorgement qui en découlerait sur le champ. Si vous en êtes maintenant à concevoir ma substantialité de façon trop rigide, sans retour sur soi, c'est ce qui ne manquera pas de vous mettre en boîte prématurément, trop souvent. Ma ruse est de m'attaquer à votre existence par le côté où sa qualité ne semble pas compter ! Ruse, tout compte fait, historique. Et en plein excès. Datez-la et transformez-la. En poids. En volume. Mon espace n'en assure pas moins la persistance de ma matière dissociée. La chimie pourrait bien être mon langage. La musique est ici plus près de moi que vous ne le serez peut-être jamais. Cependant votre hystérie est compréhensible. Votre surdité aussi. En revanche, ma neutralité possède un pouvoir de division combiné. N'invoquez pas la progressivité du changement pour expliquer nos apparitions, nos disparitions. Vous êtes ennuyeux, c'est grave. Rien de nouveau, ainsi, rien d'inattendu, vous réduisez la variation, vous emmerdez tout le monde. Alors que mon infinité qualitative résulte de l'irruption de mon infini dans mon fini, des masses populaires dans mon individualité bornée, mon en-deçà foutant le camp, par transformation directe, dans mon au-delà. Et voilà! C'est l'œuf sans colombe! Bien entendu, je m'arrange toujours pour rejeter mon unité loin de moi. Négative, immédiate, ma réserve d'essence s'occupe du voyage. Et de l'allumage. Ma négation est passage, suppression du passage. La plupart, n'arrivant pas à la négation, ne supportent pas, c'est normal, la négation de la négation. Autrement dit hésitent dans l'affirmation. Qui est ma friction. Quel rythme! Harmonie! On ne sait si je reviens, si je pars. Source de plaisir supplémentaire. Comme de dénégations forcenées. Les meilleures me renforcent. Elles me tuent, c'est vrai, mais de mieux en mieux. Et ainsi mon immédiateté proverbiale se présente-t-elle sous la forme du retour, constitue de nouveau le négatif qui est l'apparence du commencement dont le retour constitue lui-même la négation. C'est mon vice! Cette rentrée en soi est bien entendu simultanément suppression de soi, votre cache-cache préféré en somme, et comme votre réflexion se repousse, votre répulsion, de son côté, vient s'équivaloir à votre rentrée. Ainsi de votre plumage et de sa pulsion dans votre ramage, puisque nous n'avons plus ni renards, ni bois. Cela dit, libre à vous de vous prendre pour le porteur de la qualité, c'est-à-dire l'inégal de la négation. La forme de cette proposition peut être considérée comme la nécessité cachée consistant à ajouter encore plus de mouvement à cette identité abstraite. C'est mon droit, encore une fois. Toute la différence est là : néant énoncé dans le langage. Vous pouvez ajouter : l'égal et l'inégal sont leur propre inégal. Ça m'est égal. Je suis aussi le contraire subsistant par lui-même. Posé! Très posé! Je suis ce que le positif devrait être. Comme la lumière! Pas moins, pas plus. Ici. Non-ici. L'enfondlui. Contrecoup! Énéant. Quand j'émerge, floc! La réflexion se rebrise. Je sors dans la brise. C'est très simple : en tant que base, je me distingue de la forme, tout en étant à la fois le fond et un moment de la forme. J'y ai beaucoup réfléchi! C'est vrai, sans chichis! J'ai peut-être malgré tout un comportement trop négatif vis-à-vis de moi même. Vraiment? Je n'y peux rien : ma matière est forme en soi. C'est plus fort que moi. Tout cela n'a rien de formel. De formaliste, encore moins. C'est une association instantanée. Si vous la libérez, vous la comprenez. Sinon, non. La chose se conditionne et s'oppose à ses conditions. Abîme! Corps et biens! Ce. Ceci. Cela. Ça-ça. Je dois l'avouer : je n'ai pour base que ma propre nullité. Ma porosité me pénètre. Le monde existant s'élève tranquillement en moi pour devenir un règne tempétueux de lois! Aux deux pôles! Je cause à ma cause! En pratique! Et en théorie! Enchanté de vous avoir à bord, lecteur, mais rappelez-vous qu'il n'y a pas trente-six conducteurs dans ce métro. Ne sors pas ta bite par la portière, ne fais pas signe grossièrement avec tes hémorroïdes, laisse-nous couler dans le lubrifié, et si un secteur devient trop physique, fous-lui ta savate dans l'ordinateur.

après l'explosion. Au début coup de tonnerre grosse boule foudre caressant l'intérieur des grottes ils les ont à zéro ça les prend encore quelquefois légers tremblements même pieds au chaud dans l'appartement. Par jupissaterre! Hémoglobinant. Distinguez soigneusement énoncé énonciation énonciature. Cette dernière, rarement vue, soutient le malentendu, le rend religieux, touffu. Ivre mort celui qui l'a bue. Les ombres froides de la montagne descendent et touchent mon cu. Pour chaque citoyen dessoudé il y en a une dizaine qui recherchent votre parallèle géométrique. Ma durée file ses derniers grains noirs. J'aime les joncs les roseaux les nappes bleues des couloirs. À condition de prendre sa tête pour s'antisexer sans raison. L'enculage vaut ici comme préparation. Boubougre, boubougre râlent-ils bougonnant baveux anciens croisés du sépulcre. Avant le ravin. Encarnés. Mainteneurs du stupre. Incapables de passer sur les routes je-toi-moi dans chiassée du temps. Connards de province. Petits profs besicles se minibranlant. Pionnasses. Sais pas si tu as compris mes dernières allusions essayons sortir vertige tuméfié croulant. Comme les catatoniques ne semblent pas se gêner l'un l'autre les salauds en profitent pour les mettre deux par lit. Idem en cellules. Un professeur de dessin déchirant la feuille d'un écolier qui a peint un cygne dont on voit les pattes déclare : moi les cygnes je les aime sur l'eau. Cela dit infirmiers gardiens aiment jouer à l'étranglette. Baignoire tuyau gaz électrofroc. Le mec qui griffonne est le plus suspect. On l'ébranle à ras en chimiant ses plats. L'administration pénistentiaire relève de l'éducration militaire qui elle-même par le jeu des thèses examens permet au cours magistral de rouler gratin. L'école reste vachement normale. Avec col moral. Un universytaire enculé en vaut deux. Tringlez-moi leur caisse ! Soyez incléments ! Déplacez linguales coupez lignes mots brèves stations d'arrêt qu'on sente courant. Les parents biologiques ne sont que des locataires. Ils agissent sur ordre de propriétaires absents détournant le script de la vie récrite. Dans chaque testicule esquisse du scénario. À dada ! Doudoun ! Softy ! Junkie ! Moteur séquence tigez les bouboules et s'englande filets-jets reglandes. Preausteric man and his pursuit of panhysteric woman. Toujours à se rebander la coulisse canons giclées parano. Tentant, mais chromo. À la limite pédé piqué s'engouffre pépé d'étron ravalé mémé. De fil en aiguille. Encule fistule. Bobonne sort, va à sa réunion, se fait tromboner. Lui poursuivant ses salades antéchrist ponctuel pété. Rêvant mutterrecht! Au nœud du père, d'la mère et du saint-cuicui. Se donnant des airs de grande déesse en photomatrone prélassant en lui son robinet gris. La dissolution des vieilles idées, dit-il, va de pair avec la désagrégration des anciennes conditions de vie. Vous n'allez tout de même pas continuer votre cinéma homérique en plein dans l'électronique! L'existence de l'humanité souffrante qui pense et de l'humanité pensante qui est opprimée doit fatalement devenir insupportable, indigeste, au monde animal des philistins qui jouit passivement et bêtement. Logique. Mathématique. Tout ce qui était solide se volatilise, tout ce qui était sacré se voit profané. À la fin les hommes sont obligés de se regarder froidement à leurs places dans leurs froids rapports mutuels. Baisés! C'est pourquoi il en va de l'histoire humaine comme de la paléontologie. Des choses qu'on a sous le nez même de gros cerveaux flic flac ne les voient pas par principe. Ensuite nom de dieu! C'était ça! Foutre! La nature n'étant composée que de bonds. Et n'offrant pas de bonbons. Sur mer la marine! Voilée ferme en plasmésalin! Fmouettée! Retrouvant l'ancrage tout en haut des arbres. Totam in tutu! Face à main membru! Invaginatif, le semeur! Habemus ad bébémousse! Gras bref volume fermeture éclair. Pas sorti d'l'eau berge! Ni des loloverges! En cu né informe. Un clou chasse l'autre dans le spectacon de la croix bidon. Boréalisons. Dans l'endocrinière des jaspinations.

lutte entre deux lignes: et voilà le pont! Admirez-moi ces arches, ces ronds. Vagues vaguelettes hommes grenouilles poutrelles tabliers tourbillons. Du grand art maison. Pendant que les chinois respirent. Alunissant à l'onu. Grimace du pape. Rictus de l'ancien pays des soviets. Cauchemar panoramique des états munis. Hoquets révisos! Victoire, pleurnichent-ils, de la coexistence pacifique! Océan fourre-tout du même nom! Épouse-poubelle! Et de recommencer à rêver que deux refusionnent en un. Tu parles! Lui en joie foule arrière-pensées muettes devant gueule générale butée chiens de garde. Retrouvant l'enfantin feuillu à relief enramé lumière! Chaque nuit un peu plus savoir. Et corps cireux modelable dans son circuit noir. Nitimur in vetitum! Épanchement réel dans la vie du songe! Nuages cuivrés bleu d'airexpire. Les hommes avant nous auront été ces bébés empotés superstitieux dans l'occulte toujours enclins à entendre frapper les tables, les murs. L'important malgré le lacrymogène est de crever au cœur noyau dur. Gligg! Gliggur! Et reprends ta harpe. Faber division ville campagne gaz moteurs sois cet océan de musique comme ça il y en aura un, c'est plus sûr. Étant donné qu'il n'y a plus de hasard dans ma vie, vous n'êtes pas vous-même un hasard. Qui devine ma volonté sait aussi le chemin qu'il doit prendre. Sa chance, large et lent escalier. Sa gelée. Pourquoi j'écris de si bons livres? Pourquoi je suis si sage? Pourquoi je suis une fatalité? Parce que je ne me prends pas pour ce que je crie. Je ne suis pas non plus une alice petites minauderies jupettes logiques dominos glaces coiffeuses photos maniaques de papa matheux amateur mottes duvets et gnagnas gnognos. Caresse-moi le humpty dumpty lui dit-il, et elle friande! Attendant l'offrande! Ni trop vrai ni beau. Pas besoin de chasser le snark pour aller au pot. Merde à la bouclette childrens corner féerie bibine et surbigoudis dans la bécassine. Miroir à bassine. Rrrrrroar! Bip! Bip! Ecce mon mhomo. Arrêtant la soif dans le cycle à cycles! Se disant amen! Un vrai cyclamen! Genre montagne avec aigle serpent colombes bruissements d'ailes et tout et tout et midi à pic sans une ombre point fixe décalé torrent rapidité montant à la tête se voyant couper en deux rien de plus que l'humanité vieille histoire roc solstice cercueil pavot rouge légiférant avec épines dorsales large vue des ruines. Il n'est pas une phrase où la profondeur et l'enjouement ne se promènent ensemble vicieusement la main dans la main. Je vous avais bien dit que je reviendrais! Pas si fou! Éternel détour! Avec mon carnet carbone! Juif érin! Pendant qu'ils racolent ouvertement sur podium ouvrant disent-ils leurs temples. Lui plutôt volcan crachsant sa luette. Aller vie actuelle moelle conscience épinière inconscient derrière-retour plouf en-dessous mille années comme un jour que dis-je une seconde je n'y suis pour personne, à demain. Représentons-nous le cas limite d'un livre parlant d'expériences situées complètement en dehors des possibilités d'une expérience courante et même rare, d'un livre parlant pour la première fois le langage d'un nouveau pays. On n'entendra exactement rien et trompé par l'acoustique on dira que puisqu'on n'entend rien, y a rien. En effet, ils n'hésitent pas à juger. Salut, pote-fusée! Pas mal qu'on se croise! Faraj! Rien ne m'interdit de déposer ici mes parcelles dans le flot montant. Et chacun son gange. Vous me direz pas possible tu t'exceptes, au trou. Eh non! J'y deviens, j'y reste! Tout en nettoyant sous ma veste. Heureux celui qui était avant d'avoir été: pour lui, c'est l'été. Son cerveau est une bouteille de forme ronde aux cercles rodés. Son cœur est un four. Il éclate en jours. Rhoïzos! Rhoïzêmatôn! Et verdoie verdonde! Jim-jams! Come away! Do not stay! Camarades, que voulez-vous, j'exulte. Prenez donc ma dose et vous ne goûterez pas à la mort. Que celui qui parmi vous cherche n'arrête pas de chercher jusqu'à ce qu'il trouve et lorsqu'il

trouvera il sera troublé et ayant été troublé il sera trom-
blé. N'hésitez pas à interroger un enfant de sept jours
au sujet du lieu. Regardez ce qui est devant vous, chers
singes, et ce qui vous est caché vous sera dévoilé. Que
celui qui a des oreilles embraye! J'ai jeté un feu sur le
monde, je le garde jusqu'à ce qu'il brûle, na! Tout ça
passera comme le café la télé et ceux qui sont morts ne
sont pas vivants et ceux qui sont vivants ne mourront
pas. Mangez le crevé, il vit. En plein projecteur, qu'est-
ce qui vous arrive? Quand vous étiez un vous êtes deve-
nus deux. Mais quand vous serez deux, quelle gueule!
Si je vous disais ce que je me suis dit, vous me brûle-
riez. Les fleurs étaient éclatantes à bagdad, cette année,
quand on a coupé la langue de la vérité. Doux singes,
c'est ce qui sort de votre bouche qui s'infecte. Vous
avez pourtant derrière vous cinq arbres qui ne bougent
ni été ni hiver. En sorte que le mâle n'est pas mâle ni
la femelle femelle. Faites des yeux au lieu d'un œil, des
mains au lieu d'une main, un pied au lieu d'un pied,
une image, si vous y tenez, au lieu d'une image. Au
fond, vous êtes bourrés. Ne faites pas comme ceux qui
aiment l'arbre et haïssent ses fruits ou qui aiment le
fruit et haïssent l'arbre. On ne récolte pas les fraises
sur les épines. Ne mettez pas votre vieux papa dans le
vin nouveau. C'est un mouvement, un repos. Sur un lit,
l'un meurt, l'autre vit. Le troisième lit. L'un ne doit pas
savoir ce que range l'autre. Fendez du bois, je suis là.

donc je pars avec mon pote pour l'occident, nous chas-
sons, on appelle ça, vous saisissez l'allusion, les oiseaux
de la mer verte. Nous tombons sur la ville des super-
réacs. Ils nous jettent enchaînés dans un puits près d'un
hlm trente étages. Ombre sur ombre, noirceur sur noirceur, impossible de voir nos mains. Dans la nuit, pour-

tant, nous montons, nous ouvrons les fenêtres. Fouillis
des jardins. Un parfum luit du côté droit, notre tête s'en
va. Attachez-vous au câble dépassez l'éclipse. Secoue-
toi, tue ceux qui sont avec toi. Écoute ton nom. Et
laisse ta femme. Déracine, monte, navigue. Extrémité
de l'ombre vagues montagnes flots noyade en fils.
Quand les flots se cognent, je croche ma nourrice et la
fous en l'air. Bonsoir mémère ! So long sirène ! Nous
perçons alors notre barque pour qu'elle ne soit pas
empruntée. Ni copiée. Ni réammarrée. Oui, c'est vous
que je vise. Le feu brûle, le cuivre bouillonne. La région
s'effondre, truc connu. Sphères en flacon. Du rab. Ici je
coupe courants d'eau vive milieu du ciel. Draps noirs et
orgues éclairs et tonnerres montez et roulez. L'essaim
des feuilles d'or entoure la maison de midi. C'est peut-
être sur ces plans que se rencontrent lunes et comètes,
mers et fables. Ma poitrine ressemble à une cithare,
j'irai même jusqu'à dire que des tintements circulent
dans mes bras blonds. Heures d'argent soleil vers les
fleuves. Cela commence sous les rires d'enfants, cela
finira par eux. Vous signalez ici les traces d'aucun
monument de superstition. Et voici, en blanc, la baleine !
Air sur air. Ma frangine descend dans la nuit. Ma lampe
s'allume. Roue mer rouge. Irradiation se poursuit. Passage araignées tissant le vivant du crève. Le mouton, en
moi, continue son rêve. Chaîne sur rocher. Crontch !
Je sors de la grotte, vais jusqu'aux vestibules, jette deux
ou trois syllabes aux poissons. De joie, je prends une
expression bouffonne et égarée au possible. Le roi
arthur n'est pas plus serin. Père, père, pourquoi ne pas
m'avoir abandonné ? Tu vois à quoi tu m'obliges ! Le
leggi son, ma chi pon mano ad esse ? Volontaire, volontaire, fut mon erreur ! Éther, vents rapides, rivières,
terre-mère salope, et toi solœil tout gâteux, voyez mon
angoisse ! Tout ça pour avoir donné du feu à celui qui

passe ! Ah ! on n'est pas juste avec moi ! Tous ceux qui vivent sur le sol voisin de l'asie souffrent avec toi, con, même les mortels. Promets et tais-toi. Bouffe ta vésicule. Moi à petit pas roseau ciré, je me taille en tas. Croupis là, momie disparate ! Ô reste ! C'est pas tous les jours qu'on tranche l'ancienne. La magma m'atterre ! Et mets ton foie dans les morts. Et rappelle-toi qu'elle l'accueille avec des mots d'amour, l'amène à sa baignoire et, quand il en sort, flip ! le filet dessus, toc ! En pleine purée ! Dans l'os ! Tu reviens, tu cognes, tu les as au cu. Les haieriesninis ! Vaginées de nuit ! Potinées rancies ! Ce jour verra donc l'avènement de lois nouvelles. Ce n'est pas conseillé à tout le monde, mais tout le monde doit le savoir. Avis à la clitomnestre ! Votre rôle est de m'empêcher de passer. Or mon rôle à moi est de passer. C'est bien réparti, J'espère ? Le bruit n'est pas le bruit que vous attendez. Mieux vaut régner sur son sperme que de croire baiser l'univers. Comme les langues sont douées pour moi ! Tous leurs chemins mènent à mon arôme. Je m'y trouve partout sans hasard. Quasar. Et motzart.

et vivanterré dans l'oblitéré. Mets-moi ta métalangue dans l'cu ma cochonne, mon frère. Dis-moi que tu m'aimes. Nous savons tout cela. Ça passe comme cela doit. Si vous sortez de la métaphysique, que ce soit à gauche. Sinon, non. Mes modèles ne regardent que moi. Je les peins, je les déconcerte, ils me répètent, je les peins à nouveau tels qu'ils deviennent sur un chemin qui n'est pas le mien. De la somme de nos malentendus peut naître un râle entendu ? Ils savent ce qu'ils font, ne leur pardonnez pas. Qu'ils ne sachent pas qui ils sont est une autre affaire. Peu à peu l'histoire progresse avec ses canaux. C'est une irrigation qu'il n'est pas interdit de saisir en bref dans la cervelle confuse des cadres. Le peuple, lui, voit tout sans avoir à regarder ce qu'il ne voit pas. Si on l'aveugle, il y voit quand même. Les schizos marchent légèrement dans la cour. Leur visage est frais, aéré, lavé. L'hystère de service, triste bacchante de la phase capitaliste, renifle illico ce qui reste en vous de théoragot. Elle soupèse vloup les engorgements. Les radiographie jusqu'aux couilles. Les met à l'air. Et à poil. Et pourquoi pas ainsi sans manières dans l'huma qui s'écoule en nulliparent ? À la fin ce qui vient fleurir dans le langage n'est plus dans le langage corps empaqueté dehors n'étant plus dehors ni dedans dehors ni partout ni dedans ni centre indice du fléchissement des eaux. Si vous décrochez d'une classe à l'autre dans le sens du bas, laissez votre carte, on vous écrira. Pada ! Pada ! Assis marchant allongé partout sous les tombes. Et redebout ramasseur absorbeur acideur couleur ! Défonçant l'enceinte de leur ronron temps. Veribleu ! Rapide ! Tu trembles, carcasse ? Vieille carne endossée sur eux, tu ne sais pas où je te surmène ! Maintenant il se met tous les jours sa peau par négligence sur les épaules. Remembre-moi, mais délivre-moi. Donnant donnant. Tes poils m'attendrissent. Je ne me suis jamais regardé les mollets, la bite, sans étouffer un départ de rire. Ceux qui ne font pas comme moi se disent plus savants que moi. Et pour cause. Mes amygdales, mes végétations dérivent loin de ma diction. Je connais leurs nymphes. J'ai bu leurs potions. Laetatus sum ! Qui révère l'ombrelle dans sa paraflamme ? Ils s'affament les uns les autres en battant des rames. Retour du babil. Et mère perd fille de son fils mère pille dans sa mère mari de son père pari. Épatés. Béats. Et momies cracras. Calfeutrant l'issue vers prolétariat. Qui lui s'en distingue. S'en distinguera. Et de mieux en mieux dans le glas des glas.

Furie d'ophélie la femelle en l'homme est femelle ou homme. Pas vice-versa. N'écoutez pas leurs déclarations prophéties crispées horoscopes pseudos-savoir curetages effet de manchettes mystiques finissant par se vomir ça. L'être n'est pas. Ses révélations n'en sont pas. À peine léger crabouillage de couille en couille vain effort pour s'enfouir talisman cadavre et garder conscience mais oui le sommeil vaincra. Pour qui se taira. L'opération qu'ils veulent mener est difficile. Comment m'écrémer sans me réveiller. Comme je suis éveillé sans avoir à le crier sur les toits, quadrature couvercle. Ils tournent, ils retournent, ils ne me voient pas. On comprend leur aigreur papa. Personne ne saura jamais ce qu'il fallait être gai pour écrire ce livre. Ça vous change de vos religions gagas fluides médiumniques incubes succubes vagues brises puantes gagas. Un vrai cube, et pas pour les rats. My little sleep is rounded by a life. Baseless fabric of vision ! I'll drown my book ! Adieu mosquées colombes dômes coupoles soir couchant doré. Encourbé muet. Tout retiré et fusant voilé devant bouche. Jaune rouge à bande et bleu zaffiro et blanco-noirci dans l'enjaunénuit. Rougencore. Orbe illuminite ! Mutance ! Rien d'excessif pourtant dans ce décollement transversal qui vous slanguetale dans son agnimal-

au commencement est la verve. Qui se laisse empâter, de verge en verge, dans son autoverbe. Qui le crache en temps en gardant ses gants. Ce dernier, qui empeste déjà le dessous de fesse, entre dans l'existence avec sa veilleuse. Or les ténèbres restant ce qu'elles sont, tout cela se déplace et creuse. D'un côté la loi, de l'autre l'exploit. Avec le désert dans sa voix. Alpha oméga sont ses pattes moches. Babylone babylone crie-t-il en perdant son poids. Bromios! Ils ne tolèrent pas l'exception. Et qui va s'en plaindre? La moi moelle sombre dans le détroit. On ne va pas au-delà de cet acte d'aller au-delà. Soit vous y entrez au couteau battement paupières soit vous devez vous taper le boulot. Autrement dit, la voie n'a pas de troisième. La pupulse est aussi constante que l'histoire se fout des attentes. Monsieur l'affect a beau se dérober madame représentation s'arrange pour se combiner. D'où votre air navré. L'investi se contre-investit et doit vous cacher votre travesti. Je suis toute femme dit-il, je deviens surhomme dit-elle. L'acoustique les pique dans le mnésique. Ils régressent, progressent, s'agressent, engraissent. Zinzinus zinzinum fricat. Utérine! Du chef! Méta sous toutes ses mêmes formes leur conserve croyance au-delà. Air toujours excité dodogme emphatique évitement du trou vibre à transe rentrée indiquant l'éclat. Lui marco polo du problème toujours reposé en force s'éprouvant un peu un et demi face à elle regrettant trois quarts poursuivant coups de jouissance avec éclairage volume gagné sur objets prise tuyautée du réel affaire queue transversale éclairant âges idéologies religions postures diverses rétroaction désormais des robinets à liqueur. En somme ça reste vachement primaire! Et lui, tout songeur. Cette oralité! L'anal fusillé en surgit homo. Dans son principio. Et volens nolens en nomo ça pince. Le génie s'extale en télescopé. Et stranjugulé. Peaumerdéezizi et fœtichamère sont les deux mamelles du civilisé. Tout prépuciré. Ô glotte! Ô l'occluse! Le fluflux n'est pas vos gastricouillés. Une science du con doit d'abord se méfier de l'encon des sciences. Matouqueuecoupé engorgé vidé se réveille un jour dans un grand silence. Il revoit ses danses. Et s'en va dame née. Pour n'avoir pas vu sa fraction chibrée. On peut ajouter que s'ils se masturbent avec représentation pour l'avoir en main elles sont obligées, elles, d'entretenir leur manque à sa faim. Attention! Qui vient? Informe-toi, regarde, scrute la romance. Cette cloche n'est qu'un croulant, rien qu'une ombre. Il n'est pas du pays, sans quoi il ne se serait jamais aventuré dans ce bordel. Dans cette partouze dont au fond nous tremblons de prononcer le nom. Près de laquelle nous passons le plus souvent les yeux fermés, sans voix, sans paroles, en n'usant que d'un langage, celui de l'enfouissement. Donc, un homme est là qui ne respecte rien? Ces deux filles, dit-il, sont sorties comme moi du sein de ma mère? Mes fifigues, mes enfants, mes sœurs! Oui, j'ai tué. Oui, j'ai baisé. Et je n'accepte pas de dire que c'était inconsciemment, chœur connard! Je vous mets le truc sous les yeux, sans fard. Avec le mauvais goût qui me caractérise. Vous en chuchotez déjà dans les coins. Qui me fait déjà haïr par des générations et des générations et des générations de générations de profs de diction. Malheureux, moi? Tu plaisantes! Cependant, il ne s'agit pas d'une lutte aisée. Je ne l'ai pas enfilée malgré moi, ce n'est pas malgré moi que je parle ici de ces choses. Je suis leur risée mobile en ouvrant les portes polies par tant et tant et tant de passants. Je sens leurs ailes courtes contre mes oreilles. Je sens leur déploiement membraneux d'envers. En me renversant par moments, je sens leurs cheveux blanchir. C'est mon seul soupir. Ô l'eau claire! Mâle dangereux vieille fille se pointant grand-mère. Femelle nocive à l'en pair! Je sais ce qu'il faut savoir pour rester en sang. Le long de mon cerveau, près de moi, loin de mon opacité provisoire, dans mes échelons musicaux, le ça qui m'enseigne, le moi par écho, rampent, filtreront encore, à travers votre sur-moi roccoco. Ne croyez pas ce qu'on vous dit du spectre qui vous cause. Regardez-le grandir autre chose. En

135

pelant vos peaux. Ils te font la gueule ? Bon signe. Elles te dégueulent ? Encore mieux pour toi. Go on, son, go on ! Tu verras la belle et la bête. Le perlinpinpin de ton vieux merdin.

le chat botté se ramène et fourre d'une traite : pou chou genou caillou bijou et hibou. Et ce n'est pas tout. Ne chatouillez pas ce chat, mes gros rats ! Attention au coup de tonnerre initial dans le ciel bleu-noir ! L'éteint scelle son sous-fleuve en graines. Sos fathber ! Et chacun chez soi dans l'autruchensoi. Ô la petite fendue à chienchien sous elle ! Elle veut être danseuse déjà ! Se branlant sur chaise ? Emmouilléemouilla ? Toujours prête à jouer perhélas, médisande ? Farcie de yoga ? L'occident s'y tâte en cadence. Se prenant pour l'orient qui l'aurait en soi. Et ainsi de fils en aiguille, de fil en anguille, mademoiselle avance dans son singe petit-bourgeois en faisant grossir son tenant-papa, tendue, tendue vers son fond panique ! S'appuyant sur les troubadours cul d'occulte et fessier du culte sur les damoiseaux qui lui font leur cour ! Confie-moi tes gènes et ton sperme en poudre, je maintiens fiston sous la loi mama, je culminébouse, je rayonne en toi ! Ô pépé saigné, ô mémé bibite ! Ici, concurrence sérieuse entre elles. Pépère enchanté suivant l'antigone. Elles pouvant à toute heure se livrer à papa en cu à travers leur don éperdu cucu. Elles s'empalent sur la queuqueue crouille et gigotent flic pour capter le jus. Et l'offrir tout glu à pépé suprême momort des momorts aveuglé en corps. Sitôt mères, schlourf, elles pissent à l'attaque. Je suis ton maimême mon chéri piston ! Salhommée ! Salhommée ! Petits cols dentelles ! Marins ! Cousus mains ! Et mec à la niche. Dans ses gros nichons pendant qu'elle pleurniche. Canaille ! Tu fais pleurer ta mémé? Tu respectes pas sa tétine à lait? Et lui de plus en plus et de plus en plus. En mutus libère. Arc en flesh! Évohé! Ducunt volentem fata nolentem trahunt. Nexus infinitus causarum. Et donc soyez interprètes de votre propre entreprise. Foutez-vous la paix les uns aux autres pour mieux faire la guerre qui ramène l'autre dans les siècles des siècles, amen. Hystère à judanse, politique de votre action. Si vous mangez un livre, que ce soit maintenant jusqu'aux talons, qu'on le sente au moins dans votre démarche! La bouche ne suffit pas. Ni le foie. Le spectateur éventuel, sur votre chemin, vous-même, doit capter le retour squelette qui fait de votre visage acharné gracieux un point d'interrogation un peu sec peut-être, mais rieur. Chine poumon rouge dégageant l'ozone où j'écris! Un anti-chinois ne chie que des noix. L'ancien élève des curés, devenu social-chauvin raison éclairée lampadaire tâtonne ici dans le noir. Pleurard jaune bilieux il reproche de plus en plus à nos camarades actuels de ne pas avoir accepté jadis son pépé soutane, sa mémé broutane. Et s'agite, parle fort, oublie son ancêtre sinanthrope, devient sinophobe à mort. Et crache au nom du village sur les bronzes, les jades, sur tout ce qui tombe sous son matamore. Ne veut voir qu'une seule tête indiquant le nord. Et si un farfelu s'y oppose, garde-à-vous, sloup, on se le déporte, bouclé! Sauvant les municipales. Se prenant pour le prix fixe des notes sous son toit. Et bœuf d'origine. Gros matouphysique! Et magin-pagin et nagin-sagin et cagin-ragin dans fumée tagin. Mais lui: touffe de langue arrachée, radic! Par les cheveux, crach, et hors marécage!

écoute et racontemoule ce qui s'enfuit là et là et là entre leurs jambes, le ronsoufflement des engendrements. Rouf! Plourf! Ne reculant devant rien. Même pas devant le fait d'avaler tout cru le docteur joie-joie en personne. Que veut une femme, lâche-t-il en dernier sursaut. Et s'en va, très digne, en hochant la tête, rideau. Et eux désirant l'enceint! Être mère de leur patelin! Voulant faire monter les enchairs! Au finish! Ou alors grouillant dans leur féminin. Imitant mama et ses voiles bains. Cependant elles t'enseignent par barrages ombrages le ruisseau tordu hors de l'œsophage hors l'intestinage et la verge en soi. Tu passes. Tu as tes glaciers. Tes éboufoulis. Ta manière à toi de te fondre en plis. Friedrich, dit suzette, aujourd'hui tu n'auras pas ta sucette! Et lui, chagrin fou. Apollon m'a frappé! Ô vous dieux immortels! Etc... Retiré sur son épinette. Plus lucide pourtant que ceux qui mettent leurs jetons dans leurs rejetons. Ou que ceux qu'écrasent leurs philosophons. Jasons, jasons, il en restera pour nos argot-notes. Ta langue est trop verte, dit-elle, ça te fait une drôle d'haleine, je ne m'y fais pas. J'ai une cenflure que je n'ai pas à connaître. Et le cycle femme cooptée par femme? Regard! Dessus! Connencon! Direct! Pas vu, méconnu, basique. Absoluphysique. Se surveillant l'idée moelle. Je veux ton échange dans la société, tu veux mon chéquier dans l'incorporé. Toutenveloppées chacune en chacune. Avec les rengaines, les collants, les crèmes. Loin des machines. Or le prolo, lui, doit se magner la pine pour pouvoir croûter. Et lui essayant de rester branché. Avec son aura son aurubéole de voyeur dharma de chanteur lama et tout gandharva en tanné tana selon ce qui est et ce qui sera. Petit dur sujet du tonus épique, mémorbe dans son époptie! Et toutuentoutes et toutunentous à ses trousses, voraces, hyaineux, suraigris! La nature, elle, continuant son damour, éphémères scorpions araignées sautelles! Histoire se hissant de

polichinelles en polychinois. Et monsieur dit-il mademoiselle dit-elle et madame a dit se désagrégeant sous
le poids. Et lui : faux soyeur, tendant son filet, sanscra-
pule ! Feu. Feu. Et eux par milliards voletant autour,
aile éparse ! Dans la nuit non-vue. Approche. Approche.
Tu chauffes. Tu brûles. Tu nous vois l'ovule ? Flamme
depuis toujours. Te cuivrant le cu. Cœur poigné !
Comme un jour p'tit homo s'entraînant à jeter bobine !
À monter descendre le grand escalier. À s'enphoniser.
Et donc tiens-toi bien droit une bonne fois entre leurs
jambes convoitées potelées et remonte le fleuve à
l'envers tout seul étranglé. Shlpstrfkl ! Dans l'orgasme
incouche. Clapet ! Rentre doigt. Dans tes droits. Dilate.
Shlrk ! À l'envers du joui quand elle va le pondre. Dichtung ! Dichtung ! Und warheit ! Allahluia ! Et le peuple
élu à proportionnelle. Ce qui fait que le nouvel adam
se fout de votre pomme comme de votre dernière non-
dent. Et qu'il disparaît en qui bon lui semble. Mouac
mouac ! Tzix ! Dieu n'existe pas, dit-il, je s'est rencontré ! Le fait que j'occupe un point précis de l'histoire ne
signifie pas que je prétends remplir un trou de l'espace
et encore moins me limiter ponctuellement à ce que
vous appelez votre temps. Sacrés décadents ! Passeporc
néant. Lâchez son dissoudre ! Happez ! L'éclat dépend
de vos cacaïnes. Gangrène dans l'hallunencine ! Pour-
suite dans l'encoulemblanc ! Rien plus loin dehors
au-delà exclu. Rien plus près dedans en-deçà inclus.
Et fleuves montagnes transversés versa. Cerveau noir
moira. Inane geri res. Mouvement irréfléchi et fortuit ?
Chutant les uns sur les autres ? Bien que se distinguant
par leur forme, leur nature est une, comme si chacun
d'eux, séparé, était d'or. En foule ! Défoule ! Le coït est
une épilepsie de courte durée. Nombril queue des
tiges. À cause de ce feu dans les yeux, il voit dans la
nuit. Impossible que l'image se présente à vous de face

et sans bruit. L'ensonné appartient au corpuce de l'entier spermé. La forme du chaud est sphérique. Si l'espace intermédiaire devenait vide, on pourrait voir dans le ciel même une fourmi. Je la suis. Enfouie dans l'abîme. Terre tambour! Si les germes clenchent. Si le flux se penche. Tourniquets brouillés! Membrides! Oiseaux roseaux lèvres courbes et voiles fleuries ignes lignum nulleborne! En pluie! Tourbillon plus vieux qu'océan. Je te salue, vieux marrant! Aeris in magnum mare. Ataraxe vinée d'eau chaude vibrum êtrechoc! Finfine! Percute! Toutvrai clignamen! Avant qu'on soit vifs pour la danse menuets affranchis allégés diaphanes ne pesant plus rien dans les ondes évaporées battements d'ailes d'entre printemps d'entre les vogues tout espiègles et furtifs et joies gracieux au monde en son secret tout à la magie renouvelle à rafales de fleurs et de mousses plus légers encore virevolés parmi vent de roses tous soucis lassés en musique diffus emportés jeux d'air ménestrels pour tous précipices! Zéphirs!

deux produisit sans commencement le ciel et la terre. Et la forme était vide et ténébreuse pour masquer l'erreur. Et l'esprit de deux, tout baveux, se mouvait sur les os. Et deux se demanda du feu, sépara les os et les eaux, s'interdit de manger la principale patate ce qui équivalait à mettre son poison dans ses petits fours. Je me reserpens, dit-il, d'en avoir tant fait! Qui paiera mes impôts, mes contraventions, m'enverra passer huit jours à l'air pur? Il faut avouer que sans l'autre, ça aurait pu continuer longtemps à poil sans s'en rendre compte. Merci, la sonnette! Pour connaître une poire, il faut la transformer: en la bouffant. Vous fonctionnez, mes agneaux, selon une conception de l'histoire falsifiée par les classes exploiteuses. De cavernes en

cavernes jusqu'à vos tavernes et de vos mosquées jusqu'à vos palais et de vos ghettos jusqu'à vos métros. De
village en plage et d'usine en cages. De masse en ego et
de chambre en mots. Dans tous vos bobos ! Dans tous
vos dodos ! Votre long sommeil strié par ma veille
vous ramène au ça de mon bord d'oreille. Grand geste
écartant l'illusion groseille. Qui refait son miel par
petits morceaux. Tympan son ! Vrombâges ! Et viscères
flaques entrouées bourdon. Eau riant. Et danse entonnoir ! De fonfond sécule en vergée bouilloire pour que
ça décharge en racon d'enfoire. Inconscient, inconscient, quand tu nous tiens ! Belle époque à mémé crou-
lante tenant sa barbe à la main. Croupine ! Tantine !
Tartine ! Et tontons pépins ! Cependant virage. Depuis
la sortie et l'entrée-sortie en plein vrac fourbis de nos
volcaniques dans le flot de lave embraisé bouilli. Avec
toi dans respiration désordre n'acceptant pas et ne
pliant pas. Avec toi sous répression savoir acquis sous
la merde clair nettoyé savoir du prolétariat. Et de rire
dans son bol de riz. Riz bleu du cerveau remis. Ce
que nous édifions est détruit mais qu'importe. Nébules
tenaces ! Dix mille fleuves, mille sommets : question
d'habitude. Gorges, lacets : marais à sauter. Rochers,
pics : étrons sous les pieds. Falaises frappées. Chaînes
du fer pont glacées. Neige courantes colonnes. Quand
l'armée rouge est passée, sourire sur tous les visages.
Attaques brèves groupées. Drapeau déroulé. Je me
fouette un peu. Je tourne la tête à trois centimètres de
l'air. Mon avion n'est pas secoué. L'œil suit l'oie sauvage. Que faire ? Je n'ai pas l'intention de vous cacher
mes difficultés. Qui pourtant s'éclairent. Dans la marge.
Et sans abandon. Sinon, l'idéalisme revient comme
chez lui, les mains dans les poches, refait le ménage
parmi vos pulsions. Ennui contre-révolutionnaire crise
de nerfs cauchemars suicides dépressions idem. Un

temps pour l'hystère, un temps pour l'obsesse. Et durée dévoile indurée revoile. Un patent grossesse un latent grognesse. Et barre-moi ça! Et dis-toi bien que tu es sodogommorrhé dans la logorrhée de leur endiarrhée! Racine bubon clou furoncle, le poil plante sous le baptistère. Bombe moule de l'argile en pot, tombeau gong! Dans l'urne! A voté! Pas une cervelle ne saurait maîtriser ce bain. C'est pourquoi on les voit en général le crâne penché, alourdis, débiles, près de leurs caveaux à dessins. Juste avant la libération, note, giclée pus intense. Plein la tronche! L'abcès ne se laisse pas vider sans dégâts. C'est la loi.

et lui de monter maintenant sur ses grands chevaux. Encore un temps vous me verrez, encore un temps vous ne me verrez plus, il faut que j'aille causer de tout ça avec non papa. Et je saute à plat en foudrant violette. Accentus in dicendo cantus obscurior. Vert colline engorgé radeau. Le son passe au-delà nasal de son froid mamarbre intonable. Tressaillant bateau. Adiiio! Lui sur la poupe ceinture attachée lyre amenée depuis l'orifice jusqu'à sourd labo. D'or, mais sanglivolant l'entremots. Dans l'art lynx. Brisant son laurier. Ils l'ont en effet brûlé pour avoir mis un s à leur infini calotté. Pour dire ça, dit-il, il faudrait tous les mots dans toutes les langues. Trink! Hamsa! Hamsa! Les temps ont changé d'époque. Bâton de travers enfourné frigé. Arc triorphe! Onorphe! À l'enstrophe! Pendant que les générations se spiralent dans leur occlusion. Pendant que j'arrive à la fin qui n'est pas la fin tout en resserrant mon état moyen. Que vous marchiez dans grammaire n'empêche pas que, ni noires ni blanches ni vertes ni bleues ni mauves ni jaunes ni orange ni grises ni marron ni beiges, définitivement impossibles à endormir, partout des idées rouges s'éveillent furieusement. J'avais semé des dragons, dit-il encore, j'ai récolté des puces. Sans mélancolie, traversant l'europe en passant. Le drapeau rouge flotte enfin sur lhassa. Sur le vatican, quand? Et quand sur toutes réformes? Si vous vivez enfumés avec petits stéréotypes à la gomme familiarisés avec en plus biberon d'origine à la ronde, cela se lira dans vos phrases. Quand l'humanité, dans sa plus grande fonction d'horizon, pourra-t-elle fermer les yeux et se dire: tiens, j'ai rêvé? Une perturbation est une perturbation. Inutile d'insinuer qu'il fait beau si la crasse tombe. Ceux qui se livrent à ce mouvement de menton ont menti et rementiront. Le peuple se défie de qui dit je à sa place. Il a bien raison. Tu serais pas un peu anar par hasard? Et toi, tu chierais pas un peu dans ton car? Y aurait pas un rêve dans ta volition? Cadrez décrochez tirez le futur est là tout complexe. Vox repercussa naturae. Poudroyée, la route! Surchargées, nos soutes! Ich bin der geist der stets verneint! Ce qui vous oblige, convenez-en gentiment, à dénier ma matière sans cesse dans votre pâte éternelle de ressentiment. Vous croyez au centre. Qui vous fait du ventre. Or je suis, moi, une partie de la partie qui jadis était le tout sans partie c'est-à-dire un parti à moi seul dans la partie d'ombre qui éjecta sa lumière et dispute aujourd'hui à la nuit sa mère sa partie zinzin dans l'espace à crin. Compris, mes malins?

quoi d'autre? Eh bien que la douzième harmonie par exemple échappe comme moi aux civilisés jambon cochon diamant tout ensemble. L'eau brille sur les orangers toujours verts. Cloisons rouge bœuf tapissant nos nerfs. Prépare l'épée dans ton cadavers. Le pourtour acide est l'écho d'envers. Et à toi de jouer tendu mains volcan en vidée musique asphodèles dans le gris d'usure pour personne en vue. Pour personne en vue marchant prés et villes et perdu de vue dans l'usine à rues. Effacés d'histoire ils parlent quand même dans ces chiottes obscènes avec éjaculations ou vomissements plumeux. Jusqu'au flot de lave et vingt siècles après toujours pétrifiés lovés sous les briques avec doigt sur bouche des flics pendant la visite en matin fumeux. Morte sicura! dit l'un d'eux en m'offrant une cigarette. Près labyrinthe recouvert de feu avec taureau sous la vorge. Bien entendu le monde progresse vers lumière et révolution et pas vers obscurité réaction vérité micro de vos traductions. Per sempre. Ils arrivent donc délégués super-babylone avec petites valises plutôt joyeux pendant que regardons ici retrait des liquides feuilles pierres. Moi continuant à taper hermes media 3 mon format. Ruines bois pourris hiver été d'abandon caractères noirs guirlandes asphyxiées bouche terre. Aimons. Rythmons. Et passons. Et comme ils sortent leurs papiers pour greffer canal satellite résonnante planète dans l'information partout et partout partout le temps s'engouffrant troublant, je reste dressé sur ma vicotrombe. Sans toucher le hic ni le nunc rayés. Anneaux dépliés s'aggravant coulés. De plein fouet lumière coupant sa lumière cerveau droite gauche pour sombrer cendré. Clamsé du déroule! Vaporgue! N'oublie pas cette fois incandescent tes savates en bord de cuvette. Enfonce-toi la langue gorge croc. Et dévale! Alle danze! Alle danze! Vérité trajet. N'acceptant aucune mainmise me tapant seul la surcrise je me jette ma pointe émoussée rougie. Formes crâneuses restreintes enfermées dans moteur oubli. Rictus infernal grassouille et monte à présent transparente humarire nouveau temps bouclant. Lui traversant vingtième pinceau droit mouvant et moi plafond frigo flammes en trappé coulant. Pentiti! No! Si! No! Si Si! No No! Plus d'homo exploitant homo dans l'oratorio. Arbre enfant nuit bleue goût marine. Sel lèvres delta végété lointain. Respirant mortel malgré déprimée cellule à zéro fuyant son matin. Tu pars? Je repars. J'ai plus d'un bateau. Couché boite fêlée squelettique approche. L'indiffe en courant. Antiquaille au diable avec moyen-âge gargothique renaissance estompée sur bûchers ou fresques pornos pour photos sans fin. Capital scientife microbes train-train nommez-vous pour révolution et demain. Cueille la fleur, vas-y d'un seul reste. Torrent veines chutant du sommet sanguin. Veille os allumant son soufre. Aura pro nobis! Ce qui s'y trouve existe ailleurs. Ce qui n'y est pas n'est nulle part. Tu t'en vas? Je vais. Station cordes très frémies courbées par éclat feuillage et courant chuchote. Milliards fouillés d'allusifs. Et moi bloc massif. Transpirant à vif le sérum filtré. Debout! Sur ma terre! Parmi vous en moi et moi vous sans moi. Surexpense! Clair nié! Noir scié! Spaverse!

Skn!

DU MÊME AUTEUR

Aux Éditions Cercle d'Art

PICASSO LE HÉROS

Aux Éditions Plon

VENISE ÉTERNELLE

CARNET DE NUIT

LE CAVALIER DU LOUVRE, VIVANT DENON (Folio nº 2938)

CASANOVA L'ADMIRABLE (Folio nº 3318)

Aux Éditions Desclée de Brouwer

LA DIVINE COMÉDIE

Aux Éditions Stock

L'ŒIL DE PROUST, Les dessins de Marcel Proust

Aux Éditions Mille et une nuits

UN AMOUR AMÉRICAIN, nouvelle

Aux Éditions de la Différence

DE KOONING, VITE

Aux Éditions 1900

PHOTOS LICENCIEUSES DE LA BELLE ÉPOQUE

Aux Éditions du Seuil

Romans

UNE CURIEUSE SOLITUDE (Points-romans nº 185)

LE PARC (Points-romans nº 28)

DRAME (L'Imaginaire-Gallimard n° 227)

NOMBRES (L'Imaginaire-Gallimard n° 425)

LOIS (L'Imaginaire-Gallimard n° 431)

H

PARADIS (Points-romans n° 690)

Journal

L'ANNÉE DU TIGRE (Points-romans n° 705)

Essais

L'INTERMÉDIAIRE

LOGIQUES

L'ÉCRITURE ET L'EXPÉRIENCE DES LIMITES
(Points n° 24)

SUR LE MATÉRIALISME

*Aux Éditions Grasset, collection « Figures » (1981),
et aux Éditions Denoël, collection « Médiations »*

VISION À NEW YORK, entretiens (Folio n° 3133)

Préfaces à

Paul Morand, NEW YORK, *GF Flammarion*

Madame de Sévigné, LETTRES, *Éd. Scala*

FEMMES, MYTHOLOGIES, en collaboration avec Erick Les-
sing, *Imprimerie nationale*

Composition Interligne.
Impression Société Nouvelle Firmin-Didot
à Mesnil-sur-l'Estrée, le 20 février 2001.
Dépôt légal : février 2001.
Numéro d'imprimeur : 54776.

ISBN 2-07-075741-2/Imprimé en France